- 红烧牛腩

- 豆豉排骨
- 三色蒸蛋
- 汉堡夹心包

- 酿豆腐

- 咸蛋肉饼

- 炒米粉

- 冬菇凤爪汤

- 烧卖

- 粽子

- 皮蛋瘦肉粥
- 西班牙炒饭

• 啤酒烤蟹

- 煎荷包蛋
- 水晶饺

- **炸黄鱼**
- 清蒸麒麟鱼

- 洋葱猪排

● 素炒菠菜

● 椒盐鲜鱿

- 盐烘虾

● 四色素菜

- 蚝油牛肉

● 纸包鸡

● 蚝油芥蓝

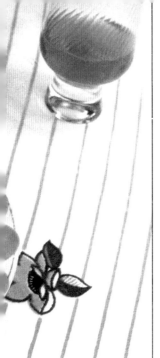

● 炒腰果

- 柠檬凉糕
- 石岐乳鸽

- 香菇肉丸

微波炉食谱

程鸿彬 编著

金盾出版社

内 容 提 要

　　本书介绍了使用微波炉烹制肉食类、禽蛋类、水产类、蔬菜类、米面类、点心类、汤和饮料类共157种食品的方法,包括了微波炉所能进行的煎、炸、炒、烘、煮、蒸等各种烹调技艺。依照介绍的方法,读者可以烹制出更多品种的美味佳肴。书后附录的微波炉基本常识,简要介绍了微波炉的加热原理、结构、使用方法等有关知识。本书内容充实,说明详细,易学易懂,可供家用微波炉用户和销售、维修人员阅读,也可作微波炉烹调技术的教学参考书。

图书在版编目(CIP)数据

　　微波炉食谱/程鸿彬编著. —北京:金盾出版社,1993.6
(1997.10 重印)
　　ISBN 7-80022-651-4

　　Ⅰ.微…　Ⅱ.程…　Ⅲ.①食品-微波-感应加热②食谱-微波加热设备-使用　Ⅳ.TS972.1

金盾出版社出版、总发行
北京太平路 5 号(地铁万寿路站往南)
邮政编码:100036　电话:68214039　68218137
传真:68214032　电挂:0234
彩色印刷:北京精美彩印有限公司
黑白印刷:北京科技大学印刷厂
各地新华书店经销
开本:787×1092 1/32　印张:3.5　彩页:20　字数:63 千字
1993 年 6 月第 1 版　1997 年 10 月第 10 次印刷
印数:355001—405000 册　定价:6.50 元
(凡购买金盾出版社的图书,如有缺页、
倒页、脱页者,本社发行部负责调换)

前　　言

　　人们为了一日三餐,长期以来围着锅台转,那种烟熏火燎、繁杂操劳的做饭方式,不知耗去了多少精力和宝贵时光。随着群众物质文化生活水平的提高,家庭传统的烹饪方式,已越来越不适应现代家庭的日常需要了。很显然,人们渴望在做饭中得到更多的解脱。

　　现代电子产品——微波炉的使用,是家庭烹饪的一大变革。它最大的特点就是快速、简便、卫生、节能、安全,同时具有煎、煮、炒、炸、烘、蒸等多种烹调功能。人们只要按照烹调要领,按动键钮,输入程序,就可快速地烹调出色、香、味俱佳的食品,减少许多麻烦,且无油烟熏蒸。

　　微波炉从国外引进,虽已有 10 年时间了,但人们对它还是比较陌生。许多人想象不到,有了一台微波炉,居然能够完成传统的煎、炸、炒、烘、煮、蒸等多种手法的烹调,更不知道怎样用它来作各种美味可口的饭菜。这不能不在很大程度上影响了微波炉的普及。有的虽然已经购置,也没有经常利用。

　　为了帮助广大读者掌握这门新的烹饪技艺,我们编写了这本《微波炉食谱》。书中介绍了 7 类食品制作的范例,包括了微波炉所能进行的煎、炸、炒、烘、煮、蒸等各种烹调方法。书后面的附录,介绍了微波炉的加热原理、结构、使用方法等有关知识,可帮助读者掌握微波炉的烹调要领。

　　本书编写过程中,得到广东省中山市百灵电器总厂梁务宏、陈汉洲、何敬韶、刘乐扶等同志和程敏道先生的大力支持,在此谨表谢意。各位读者对本书或在微波炉使用方面有什么疑问,可致信广东省中山市孙文东路 78 号(邮政编码:528403)广东省中山市百灵电器总厂,与作者联系。

作　者

目　录

一、肉　食　类

　　用微波炉烹调肉类食品,一般选用比较瘦的肉为好,冻肉应先解冻,切块形状大小应一致,使其便于均匀地接受微波烹调。用微波炉烤肉时,可放在专用的滴油盘上(类似功能的耐热碗碟或网架也可)。牛排应侧放,无骨肉脂肪多的部分朝上放。为防汁溅,可用蜡纸或纸巾盖住。烹调中,需翻转,流出的肉汁可吸出,留作调味汁用。烹调完毕,再加盐调味。为增加烧烤风味的效果,提高食欲,烹调前需将肉用酱色的浓稠调料腌制10～30分钟;也可在烹调后,用爆香深色的调料,淋在菜上。这都是微波炉烹调菜肴方法的一些特点。红烧比较难熟的肉(如牛腩等),可加些水煮,再加盖或罩保鲜膜,先用高段火力,再用中段火力较长时间煮,才能烂熟和浓香。另外,为进一步缩短烹调时间,烹调后的肉,不应立即揭开盖,而应先放置闷热片刻,利用余热使肉熟透。肉类熟了之后,是可以用叉弄碎或分开其纤维的,否则仍需加热。

红 烧 肉

原料:　五花肉900克。

调料:　A:葱6段,姜4片,油3汤勺。B:酱油3/4杯,砂糖1汤勺。

做法:　①洗净五花肉,切成3厘米见方的块。　②取一锅,放入A料,以微波高段火力爆香3分钟,再放入五花肉及B料,加盖,以微波高段火力煮10分钟,再以微波50%火力炖

20分钟即可。

特点： 肉质肥嫩，浓香味甜。

注： 不适宜食用五花肉者，可以用梅花肉或猪的后腿肉代替。烹调中可搅拌数次，使其颜色、味道更均匀。

蒜泥白肉

原料： 五花肉600克。

调料： A：葱6段，姜4片，酒3汤勺。B：酱油膏2汤勺，蒜泥2汤勺，凉开水1汤勺，醋1茶勺，香油1茶勺。

做法： ①肉洗净，擦干，置大碗中，加A料，腌10分钟。②取一大盘，放入肉，覆耐热保鲜胶膜，以微波高段火力蒸7分钟，取出切薄片装盘，淋上调匀的B料即可。

特点： 肉质酥烂，蒜香味醇。

洋葱猪排

原料： 猪通脊肉（或猪瘦肉）600克，洋葱150克，玉米粉（或面粉）5汤勺。

调料： A：酱油6汤勺，糖1汤勺，味精1/2茶勺，水2汤勺，酒1汤勺，白胡椒粉1/4茶勺。 B：水3汤勺，辣酱油1汤勺，香油少许。油5汤勺。

做法： ①猪通脊肉洗净切片（不要太薄），用刀背或木棰拍松，置大碗中，加入A料，搅匀腌10分钟，再加入油2汤勺，拌匀；洋葱洗净切丝备用。 ②取一盘，将洋葱丝置于盘中，加油3汤勺，以微波高段火力爆香3分钟备用。 ③肉片以玉米粉沾裹，铺在洋葱丝上，将调匀的B料淋在肉片上，覆胶膜,以微波高段火力烹调 5 分钟即可。

特点: 色泽红而淡黄,香嫩不腻,咸鲜适口。

咸蛋肉饼

原料: 绞猪肉 600 克,生咸蛋 2 个,葱末 1 汤勺。

做法: ①将生咸蛋剥开,取蛋白 1 份、蛋黄 2 个备用。
②将绞肉和葱末、生咸蛋白搅匀,揉成肉饼状,置盘中,再将 2
个蛋黄压扁分置肉饼上面。 ③覆胶膜,以微波 80% 火力蒸
15 分钟即可。

特点: 色泽油黄,咸嫩香口。

烤 肉 串

原料: 小里脊肉 300 克,长竹签 12 根。

调料: A:酱油 1 汤勺,太白粉(即生粉、淀粉)2 汤勺,酒
1/2 汤勺,水 1/2 汤勺,味精 1/4 茶勺。B:沙茶酱 3 汤勺,砂糖
1 汤勺,水 3 汤勺。

做法: ①洗净里脊肉,切薄片,用刀背拍松后用调匀的
A 料腌 30 分钟。 ②肉片再加入调匀的 B 料抓拌均匀,以竹
签串起,置于滴油盘上,以微波高段火力烤 3 分钟,翻面再烤
2 分钟即可。

特点: 色泽金黄油亮,香嫩甜鲜。

豆豉排骨

原料: 小排骨 900 克,玉米粉 5 汤勺。

调料： A:油 2 汤勺,豆豉 2 汤勺,葱 5 段,姜 4 片,辣椒粉 2 汤勺。B:酱油 3 汤勺,冰糖 1 汤勺,酒 1 茶勺,水 1/2 杯。

做法： ①小排骨洗净剁成 3 厘米宽小块,沾裹玉米粉备用。 ②取一碗,放入 A 料,以微波高段火力爆香 2 分 30 秒,取出加入 B 料调匀备用。 ③取一深盘,将小排骨放入,淋上调味料,覆胶膜,以微波高段火力烹调 10 分钟,再以微波 50%火力烹调 20 分钟,最后挑出葱段、姜片即可。

特点： 肉质酥烂脱骨,甜辣浓香。

碧绿腰花

原料： 猪腰 1 对,青椒 1 个,胡萝卜 1/2 条。

调料： A:葱 1 段,姜 3 片,酒 1 汤勺,油 3 汤勺。 B:盐 1/2 茶勺,酱油 1 汤勺,味精 1/2 茶勺,香油 1 茶勺,干淀粉 1 汤勺,热水 3 汤勺。

做法： ①猪腰洗净,反面刻花后切片,加入 A 料,覆胶膜,以微波高段火力烹调 4 分钟 ②胡萝卜、青椒切片与猪腰拌匀,加入 B 料,覆盖胶膜,再以微波高段火力烹调 2 分钟即可。

特点： 青椒色泽碧绿,腰子酥嫩,汤汁味鲜。

酸菜炒牛肉

原料： 牛肉 300 克,咸酸菜(或榨菜)225 克。

调料： A:味精 1 茶勺,酱油 1/2 汤勺,干淀粉 1 汤勺,酒 1 汤勺,白胡椒粉 1/4 茶勺。B:盐 1 茶勺,冰糖 1 茶勺。C:油 3 汤勺,红辣椒(切斜段)3 个。

做法：　①牛肉逆纹切丝,用拌匀的 A 料腌 10 分钟;酸菜用清水浸泡 20 分钟(去咸味),取出切细丝,加入 B 料拌匀备用。　②取一锅,放入 C 料,以微波高段火力爆香 3 分钟,加入牛肉丝和酸菜丝拌匀,取出放在大盘中,覆盖保鲜膜,再以微波高段火力烹调 5 分钟即可。

特点：　酸甜辣味,鲜嫩爽滑。配上酸菜,爽口开胃。

红烧牛腩

原料：　牛腩 1200 克。

调料：　A:马铃薯 1 个,番茄 1 个,胡萝卜 1 条,辣椒 2 个。B:油 2 汤勺,蒜 3 瓣,葱 6 段,姜 4 片。C:酱油 1/2 杯,酒 1 汤勺,冰糖 20 克,五香粉 1 包,味精 1/2 茶勺。

做法：　①牛腩洗净切成 3 厘米厚块状;A 料中的马铃薯、番茄、胡萝卜洗净切滚刀块,辣椒 切段备用。　②取一锅,放入 B 料加盖,以微波高段火力爆香 3 分钟,放入肉块,加盖,再以微波高段火力煮 10 分钟。　③取出肉块,加入 A 料及 C 料,搅匀,加盖,以微波高段火力烹调 10 分钟后,再以微波 50% 火力烧 20 分钟即可。

特点：　色泽棕红油亮,味鲜绵软,浓香甜辣。

注：　此法也可做"红烧牛肉"。

鸡肉炖肉丸

原料：　鸡肉 200 克,绞猪肉 400 克,笋 1 根,香菇 2 朵。

调料：　A:酒、酱油各 1 茶勺。B:葱(粒状)1 条,姜汁少许,蛋 1 个,盐 1/2 茶勺,酱油、酒、淀粉各 1 汤勺。C:酱油 3

汤勺,酒 1 汤勺,糖 1 茶勺,水 1/2 杯。油适量,姜片少许。

做法： ①鸡肉加 A 料腌 20～30 分钟。 ②鸡肉加姜放入碗中,混合 2 汤勺油,用微波高段火力加热 2 分钟。 ③绞肉与 B 料拌匀,做成丸子。烤锅加油,预热,将丸子炸成金黄色。 ④笋切块,香菇泡软切半。 ⑤鸡肉、笋块、香菇和肉丸一起放入锅中,加 C 料,加盖,用微波高段火力加热 10 分钟,再用 60%火力加热 20 分钟,整体拌匀后盛盘。

特点： 肉质酥烂脆嫩,浓香味厚。

糖醋排骨

原料： 小排骨 500 克,青椒 1 个,笋 1 根。

调料： A:酱油 2 汤勺,干淀粉 1 茶勺,葱 2 段,姜 5 片。B:番茄酱 2 汤勺,酱油 1 汤勺,醋 1 汤勺,糖 1 汤勺,水 2 汤勺,盐 1/4 茶勺,干淀粉 2 茶勺。油 3 汤勺。

做法： ①小排骨洗净,以 A 料拌匀腌渍。 ②将腌好的排骨用油拌匀,以微波高段火力加热 6 分钟。 ③将 B 料加入排骨中,并加青椒片、笋片,以微波高段火力烹调 2 分钟即可。

特点： 色泽棕红油亮,酸甜可口,酥烂脱骨。

粉蒸排骨

原料： 小排骨 900 克,蒸肉米粉 1 杯半,红薯 2 条,香菇 1 朵。

调料： A:葱 5 段,姜 5 片,白糖 1 汤勺,酱油 2 汤勺,酒 1 汤勺,甜面酱 1 汤勺,香油 1/2 汤勺。清水 1/2 杯,油 1/2 汤勺。

做法： ①选用略带肥肉的小排骨,剁成 3 厘米见方小块,洗净后拭干,置于深碗中,用调匀的 A 料腌 30 分钟后,再裹上蒸肉粉,腌汁留用。 ②红薯去皮洗净,切滚刀块;香菇用水泡软备用。 ③取一大碗,碗壁及底部涂上一层油,放香菇于碗底,将小排骨排在周边,中间填入红薯,最后将腌汁和清水调匀淋上,加盖,以微波 80% 火力蒸 20 分钟,取出倒扣于盘中即可。

特点： 用料多样,肉质酥烂,香味浓郁。

花开富贵

原料： 绞猪肉 300 克,荸荠 180 克,香菇 4 朵,鸡蛋 1 个,胡萝卜 1 片,发菜 38 克,生菜 5 片,樱桃(装饰用)1 颗。

调料： A:盐 1 茶勺,葱茸 1 汤勺,姜茸 1/2 汤勺,香油 1 茶勺,干淀粉 1 汤勺。油 1 汤勺。

做法： ①烤锅抹油,以微波高段火力预热 3 分钟,倒入打散的蛋液,摊开成薄片,以 60% 火力煎 1 分钟备用。 ②荸荠洗净去皮,放入耐热袋,用刀背剁碎去水,取出;香菇用水泡软,去蒂切丁;发菜泡水 40 分钟备用。 ③绞肉、荸荠、香菇及 A 料,朝同一方向搅拌至有粘性。 ④取一碗,内壁涂油,铺上蛋皮,中间放 1 片胡萝卜,发菜拉开排成网格子状,将拌好的绞肉填入,把多余的蛋皮向内摺,覆盖胶膜,以 80% 火力蒸 10 分钟。 ⑤取一盘,边饰生菜,将肉馅倒扣,以蛋皮中心为圆心,用刀尖通过圆心轻划 4 条直径,将蛋皮自圆心朝外掀开,将樱桃放在中央即可。

特点： 造型美观,色泽鲜艳,肉质香嫩。

黑玫瑰

原料： 绞猪肉 375 克,紫菜 3 张,生咸蛋黄 3 个。

调料： 盐 1/2 茶勺,白胡椒粉少许,干淀粉 3 汤勺,香油 1 茶勺,酱油 1 汤勺,葱花 1 茶勺。

做法： ①绞肉和全部调料拌匀,用手挤压成 12 个肉丸;每个蛋黄分成 4 等分备用。 ②每张紫菜切成 4 等片,包上肉丸成花朵状,上面放上 1/4 个蛋黄,置盘中,覆盖胶膜,以微波高段火力蒸 8 分钟即可。

特点： 形色似黑玫瑰,肉丸肥嫩。

蛋黄鲜蛤塞肉

原料： 大蛤蜊 10 个,绞猪肉 120 克,虾仁 75 克,荸荠 3 粒,咸蛋黄 4 个,热水 2 杯。

调料： 葱末 2 汤勺,姜末 1 茶勺,盐 1/2 茶勺,酒 1/2 茶勺,胡椒粉少许。

做法： ①蛤蜊预先放入盐水中养 2 小时,使其吐去泥沙,然后取出洗净;虾仁洗净,每只切成 3 小段;荸荠削皮洗净,用刀背剁碎除去水分;咸蛋黄切碎,捏成 20 个小圆球。 ②将蛤蜊及热水放在一锅中,待蛤蜊半张开后,捞起,取出蛤蜊肉剁碎,用刀子将壳分成两半,壳及汤汁备用。 ③将蛤蜊肉、绞肉、虾仁、荸荠、全部调料和蛤蜊汤汁,用筷子朝同一方向搅至有粘性。 ④取一蛤蜊壳,填满肉馅,抹平,摆上 1 个蛋黄球,逐个做好置于盘中,盖胶膜,以微波 90％火力蒸 5 分钟即可。

特点: 排列整齐,香鲜味美,别具风味。

香菇肉丸

原料: 香菇 8 朵,虾 100 克,绞猪肉 200 克。

调料: A:蛋白 1/2 个,姜汁少许,盐 1/2 茶勺,酒 1 茶勺,干淀粉 1 汤勺。B:高汤 1/2 杯,盐、糖、湿淀粉各 1/2 茶勺。湿淀粉适量。

做法: ①香菇用温水泡软,去蒂洗净,撒上干淀粉;虾洗净,晾干水分,剁碎成泥。 ②绞猪肉与虾泥加调料 A 混匀,分成 8 等份,塞入香菇,排在耐热器皿上,罩上保鲜膜,以微波 90% 火力加热 4 分钟。 ③以微波 90% 火力加热 B 料 1 分钟,加湿淀粉,再加热 30 秒钟,取出,淋在香菇肉丸上即可。

特点: 味道鲜美,滑润爽口

青椒肉片

原料: 里脊肉 2 片(200 克),青椒 3 个(100 克)。

调料: A:酱油 1 汤勺,酒 1/2 汤勺。B:酱油 3 汤勺,酒 1 汤勺,糖 1 茶勺。葱 1 根,姜、油、盐各少许。

做法: ①里脊肉片混合调料 A,腌泡 30 分钟入味;葱切段,姜切片。 ②晾干肉片汁液,放入葱、姜与 1 汤勺油,加盖,以微波 90% 火力加热 2 分钟,再混入调料 B,再次加盖,以微波 90% 火力加热 5 分钟后翻过,继续加热 3 分钟。 ③青椒去子洗净,切 7～8 块,放入另一盘中,加少许盐与油,罩上保鲜膜,以微波 90% 火力加热 1 分 30 秒。 ④肉片切适当大小,与葱放入盘中,边饰青椒。

特点： 肉嫩味醇,辣而不燥。

蚝油牛肉

原料： 牛肉 200 克,青椒 2 个,笋(罐头装)1 根,香菇 2
朵,油 4 汤勺,淀粉 1 茶勺。

调料： A:酒 1 汤勺,姜汁少许,酱油 1 茶勺。B:蚝油 2
汤勺,糖 1 茶勺,酒 1 汤勺,葱末 1 汤勺,蒜片 1 茶勺。

做法： ①牛肉切适当大小的片,加 A 料腌 20 分钟;青
椒切大块;笋切片;香菇泡软去蒂切小片。 ②牛肉片抹涂淀
粉,加 2 汤勺油,罩上保鲜膜,以微波 90% 火力加热 1 分钟。
③另取一盘,放葱、蒜、青椒、笋和香菇,加入 2 汤勺油,以微波
90% 火力加热 1 分 30 秒,加调料 B,再拌入牛肉片,以微波
90% 火力加热 1 分 30 秒即可。

特点： 肉质鲜嫩,浓香味厚。

咖哩牛肉

原料： 牛肉 250 克,洋葱(切丁)1/2 个,胡萝卜(切丁)1
条,马铃薯(切丁)1 个,青豆仁 20 克。

调料： A:咖哩粉 1 包,淀粉 1 汤勺,糖 1 茶勺,盐少许,
温水 5 汤勺,味精 1/2 茶勺。油 3 汤勺,盐少许,胡椒粉 1/2 茶
勺,酱油 1 汤勺。

做法： ①牛肉洗净切丁,用油、酱油、盐、胡椒粉腌泡 15
分钟后,以微波 90% 火力加热 3 分钟。 ②马铃薯丁、胡萝卜
丁、洋葱丁及青豆仁放一碗中,以微波 90% 火力加热 4 分钟。
③将熟马铃薯丁等倒入熟牛肉丁料中,加入调料 A 搅匀,再

以微波 90％火力加热 1 分钟即可。

特点： 色泽浓黄,鲜辣可口。

冬烩腰肺

原料： 猪肺 200 克,猪腰 2 只,冬菇 50 克,冬笋 100 克,姜片、葱段、蒜末各少许。

调料： 糖 1/2 茶勺,酱油 3 汤勺,胡椒粉、香油、淀粉、油各少许,热水 1/2 杯。

做法： ①猪肺切片;猪腰开边,取出腰内白根,用清水浸泡 1 小时,沥干水分,放入酱油 2 汤勺,胡椒粉、香油、淀粉各少许,和猪肺一同拌匀,用热水略拌,盛起。 ②冬菇洗净浸软,冬笋切厚片,拌入酱油、糖、油各少许,放入耐热容器内,加盖,入炉以高段火力煮 3~4 分钟。 ③将猪肺、猪腰、姜片、葱段、蒜末等一同放在冬菇、冬笋上面,加盖,再用高段火力煮 2~3 分钟,取出拌匀, ④将调料混匀,以微波高段火力煮 1 分钟,淋在猪腰、猪肺上即成。

特点： 腰肺软嫩,滋味浓香。

梅菜蒸猪肉

原料： 猪肉 300 克,碎梅菜 4 茶勺。

调料： A:酱油 2 茶勺,胡椒粉适量,香油 1 茶勺,粟粉(玉米粉)2 茶勺,酒 1/2 茶勺。B:油 1 茶勺,糖 1 茶勺,姜丝少许。

做法： ①猪肉洗净,拭干水,绞碎,加 A 料腌制;将 B 料加于梅菜中。 ②将碎肉、梅菜混匀,加盖,以微波高段火力煮

5 分 30 秒即可。

特点： 肉嫩,味鲜香。

榨菜蒸牛肉片

原料： 牛肉 200 克,榨菜 50 克,糖少许。

调料： 酱油 2 茶勺,红糖 1/2 茶勺,淀 粉 1 茶勺,油 1 汤勺,清水数茶勺,胡椒粉少许。

做法： ①牛肉、榨菜洗净切薄片;牛肉片拌入调料腌约 10 分钟;榨菜以少许糖拌匀,拌入牛肉片中。 ②将牛肉片、榨菜片平铺于一圆碟内,加盖瓷碟或罩保鲜纸,以微波高段火力加热 3 分钟,拌匀,再继续加热 1 分钟即可。

特点： 色泽棕黄,爽口开胃。

中式牛排

原料： 牛肉 2 片(200 克),洋葱 1/2 个,胡萝卜 1 根 (200 克),青花菜 100 克。

调料： A:酱油 1/2 汤勺,酒 1 茶勺。B:酱油 1 汤勺,糖 1/2 茶勺。酱油、盐、淀粉、油各适量。

做法： ①牛肉切小片,用 A 料腌 20 分钟;洋葱切薄片; 胡萝卜切 6 厘米长段,再各顺切成 6 条;青花菜切小朵,泡入 盐水。 ②牛肉加半茶勺淀粉,拌入 1 汤勺油,以微波 90% 火力加热 1 分 30 秒。 ③洋葱淋上 1 汤勺油,以微波 90% 火力加热 2 分 30 秒,拌入酱油,再加热 1 分钟。 ④胡萝卜加少许盐与 2 汤勺油,罩上膜,以微波 90% 火力加热 4 分钟;青花菜包膜,以微波 90% 火力加热 1 分钟,撒上盐。 ⑤调料 B 混匀,以微波 90％火力爆香 30 秒,与洋葱一起淋在牛肉上,边饰胡萝卜、青花菜即可。

特点： 色泽棕红油亮,香鲜软烂。

鱼香元蹄

原料： 猪脚 1 只,胡萝卜、白萝卜各 1 个,青江菜 300克。

调料： A:葱 6 段,姜 2 片,花生油 3 汤勺。B:辣豆瓣酱3 汤勺,酱油 6 汤勺,冰糖 1 汤勺。湿淀粉 2 汤勺,香菜末 1 汤勺半,花生油 1 汤勺,热水 4 杯。

做法： ①胡萝卜、白萝卜去皮,洗净后用挖球器挖出圆球数个备用。 ②放 A 料于一锅中,加盖,以微波 90％火力爆香 3 分钟,再放入洗净的猪脚,盖好,以微波 90％火力煮 10分钟,加入热水,加盖,再以微波 90％火力焖 10 分钟,继以微波 50％火力焖 30 分钟。 ③加入 B 料及红、白萝卜球,加盖,以微波 90％火力焖 10 分钟后,再以微波 50％火力焖 30 分钟,最后以微波 30％火力焖 20 分钟,取出装盘。 ④洗净青江菜,放入耐热袋中,加油,袋口松结起,以微波 90％火力加热 3 分钟,取出装饰于盘边。 ⑤取大半杯炖猪脚的汁液于碗中,以微波 90％火力煮 3 分钟,加入淀粉,再以微波 90％火力煮 1 分钟,淋于猪脚上,撒上香菜末即可。

特点： 鱼香味浓,甜辣可口。

二、禽蛋类

用微波炉烹调鸡、火鸡和鸭、鹅,比用传统灶具烹调更加香嫩。烤鸡时,可在烹调前涂一层深色腌料,以烤成诱人的外观色泽,并及时取出流下的肉汁,继续涂烤,还要记住翻面。用烤盘烤鸡块时,鸡皮面先朝下,再翻转烤。也可将鸡放入耐热袋或有盖蒸锅中烹调,用棉线扎住鸡腿,耐热袋口不要扎紧或刺破留一排汽孔。蒸、炒鸡块时,鸡皮面朝上,厚大部分朝外放,用蜡纸或纸巾盖住,烹调中途再重新放置。一些比较难熟的老鸡,可每500克加约60毫升的汤料一起蒸煮。鸭、鹅脂肪较鸡多些,烹调时间相应缩短。中段火力烹调500克整鸡约10~15分钟,整只鸭和鸡块只需7~10分钟。烹调后的鸡肉,肉汁是清黄色(不带粉红色)。若肉里仍有微粉红色,可再入炉烹调1~2分钟。

微波炉烹调蛋,只花极短时间即可获得满意的效果,没有烧焦味,色匀松软;如过度加热,味则不美。最好是待蛋刚熟,即停止加热,再放置1~2分钟即可。不要将蛋连壳放入微波炉中煮熟,因为在烹调过程中,蛋内热空气会扩胀,使蛋壳爆裂。蒸、煮、炒蛋时,蛋黄应刺破,可用中高段火力(80％)烹调。炒蛋因需要搅拌,可用高段火力烹调。煲1只蛋,用1/2杯热水,用高段火力需4~6分钟;煎1只荷包蛋,用中高段火力需30~50秒;煮1只荷包蛋,用1/4杯热水,高段火力需30秒;炒1只蛋,用中高段火力需30秒。

红烧鸡块

原料： 鸡胸肉 1 付。

调料： A：葱末 1/2 汤勺，姜末 1/2 汤勺，油 3 汤勺。B：干淀粉 2 茶勺，香油 1 茶勺，酱油 1 汤勺，味精 1/4 茶勺，花椒粉 1/2 汤勺，盐 1/2 茶勺，酒 1 汤勺，糖 1 茶勺，醋 1/2 茶勺。

做法： ①鸡胸肉洗干净，切成 5 厘米长、2 厘米宽的长条块，以 B 料腌泡 30 分钟入味。 ②以微波高段火力爆香 A 料 2 分钟。 ③将腌好的鸡肉拌入爆香的 A 料中，以微波高段火力烹调 4 分钟即可。

特点： 肉嫩味鲜。

香橙鸡排

原料： 鸡腿(去骨)1 只。

调料： A：酱油 6 汤勺，胡椒粉少许，酒 1 汤勺，红糖 2 茶勺。B：洋葱丁 1/2 杯，花生油 2 汤勺。C：番茄酱 3 汤勺，醋 1 汤勺，橙汁 1/2 杯。湿淀粉 2 汤勺。

做法： ①洗净鸡腿，用刀背拍松，加入 A 料腌 20 分钟备用。 ②烤盘以微波满功率火力预热 5 分钟后，放上铝箔纸，再放上鸡腿(皮面朝下)，以微波满功率火力烤 4 分钟，翻面再烤 4 分钟，取出切块装盘。 ③以微波高段火力爆香碗中的 B 料 3 分钟，加入 C 料调匀，再以同样火力煮 5 分钟，加入湿淀粉拌匀后，再煮 1 分钟，取出淋在鸡块上即可。

特点： 色泽鲜艳，脆香嫩酸。

注： 烤鸡腿时，烤盘上不必加油，只须先将鸡皮面朝下

即会生油。

糖醋菠萝鸡

原料： 鸡腿 450 克,菠萝罐头 1 听,青椒 2 个,红萝卜 1/2 条,花生油 2 汤勺。

调料 A:酒 1/2 汤勺,盐 1 茶勺,淀粉 1 汤勺,胡椒粉少许。B:番茄酱 3 汤勺,菠萝汁液 2/3 杯,盐 1 茶勺,白醋 1 茶勺,淀粉、水各 1 汤勺。

做法： ①鸡腿去骨洗净,切成 1 厘米见方的小块,拌入 A 料,腌 20 分钟备用。 ②取 3 片菠萝,每片对切成 8 等份的扇形小片;红萝卜去皮也切成薄片。 ③青椒洗净切块,加油,加盖,以微波高段火力煮 1 分 30 秒。 ④取一锅,放入鸡腿丁、菠萝片、红萝卜片及 B 料,拌匀,加盖,以微波高段火力烹调 6 分钟,取出拌入青椒,即可装盘食用。

特点： 清甜香嫩,酸辣适口。

蒜茸烤鸡

原料： 光鸡 1 只(约 1500 克),牛油 50 克。

调料： 红椒粉、黑胡椒粉、蒜茸、盐各 1 汤勺。

做法： ①光鸡洗净,晾干水分。 ②光鸡右侧放,撒上红椒粉、黑椒粉、蒜茸、盐各 1/3 汤勺,涂上牛油,以微波高段火力煮约 8 分钟。 ③再左侧放鸡,撒上红椒粉、黑椒粉、蒜茸、盐各 1/3 汤勺,涂上煮出来的油汁,以微波高段火力再煮约 8 分钟。 ④翻动鸡,鸡背向下放,撒上余下调料,涂上滴聚在盘里的油汁,多余油汁取出,用微波高段火力煮约 8 分钟。 ⑤

用铝箔纸包裹好或盖住鸡,放置 10～12 分钟即可食用。

特点: 酥嫩脱骨,辣味浓香。

竹筒鸡盅

原料: 鸡胸肉 400 克,香菇 7 朵,荸荠 75 克。

调料: 盐 2 茶勺,鸡晶 1/2 茶勺,酒 1 汤勺,水 2 杯半。

做法: ①选 6 个竹筒用泡水 2 小时备用。 ②香菇用水泡软,取出,汁留用。 ③将鸡肉、香菇、荸荠剁碎置于锅中,加入盐、鸡晶、酒及香菇汁,用筷子顺一个方向不停地拌至成粘糊状的肉馅。 ④将肉馅放入竹筒中约九分满,口上覆盖保鲜膜,并用绳或胶带固定,以微波 80％火力蒸 18 分钟即可。

特点: 汤清,滋味鲜香。

注: 因竹筒干燥,所以要先泡水湿润,以防烹调时间长而烧焦。

太白醉鸡

原料: 光鸡 1 只(约 1200 克)。

调料: 葱 6 段,姜 4 片,盐 1 汤勺,绍兴酒(或高粱酒)1/2 瓶,水 2 杯。

做法: ①将光鸡洗净血沫,对半剖开,放入锅内,加入葱、姜、水,加盖,以微波 90％火力焖 20 分钟取出,趁热抹盐,待凉切块,汁液留用。 ②取一大碗,倒入鸡汁液、酒及鸡块,盖严,浸泡 4 小时或更长时间,使之入味即可食用。

特点: 色泽淡黄油亮,醇香肥嫩。

注: 若想热食,也可再以微波 90％火力加热 2 分钟。

棒 棒 鸡

原料： 嫩鸡胸肉 300 克,粉皮 3 张(200 克),小黄瓜 2根。

调料： A:芝麻酱 2 汤勺,酱油 2 汤勺半,香油、糖各 2茶勺,凉开水 3 汤勺,花椒粉、姜末、蒜末、辣油各 1 茶勺。清醋、盐各 1 茶勺。

做法： ①鸡胸肉洗净置于盘中,覆盖胶膜,以微波 90%火力蒸 5 分钟,取出晾凉,用木棒将鸡顺纤维捶松,撕成丝状备用。 ②粉皮加温水泡软后切成宽 0.5 厘米的长条,晾干水分,加清醋拌匀备用。 ③小黄瓜洗净,抹盐去水,切细丝备用。 ④取一盘,依次放入粉皮、小黄瓜、鸡肉丝,再调匀 A 料淋上即可。

特点： 肉质细嫩,味鲜辣香甜。

生仁鸡丁

原料： 鸡胸肉 250 克,卷心菜 1/4 个,生花生仁 3 汤勺。

调料： A:红辣椒(切斜段)2 汤勺,辣豆瓣酱 2 汤勺,花生油 3 汤勺。B:盐 1 茶勺半,酱油 1 汤勺。

做法： ①鸡肉用刀背拍松切片剁碎;卷心菜洗净去梗,切成 1 厘米宽小块;花生仁置于碗中,以微波 90%火力加热 3分钟,取出去膜,用刀面辗碎备用。 ②放 A 料于一碗中,以微波 90%火力爆香 2 分 30 秒备用。 ③取一大盘,放入爆香的 A 料、肉丁及 B 料,拌匀后,撒上碎花生仁,覆盖胶膜,以微波 90%火力烹调 5 分钟即可。

特点： 色泽黄亮,鸡丁鲜嫩,花生酥脆。

纸 包 鸡

原料： 鸡肉 300 克,冬菇 6 朵,火腿丝 1 汤勺,葱段、香菜各适量,玻璃纸 6 小张。

调料： 酱油 2 汤勺,盐 1/2 茶勺,砂糖、酒各 1 茶勺,油 1 汤勺,胡椒粉、香油各少许。

做法： ①冬菇浸软去蒂切成丝;鸡肉切成薄片。 ②将切好的鸡肉和冬菇拌入调料腌约 6 分钟。 ③取一小张玻璃纸,放上葱段、香菜、火腿丝、冬菇及鸡肉包好,成 6 小包。 ④将以上纸包鸡分开排放在一碟上,用微波高段火力加热 3～4 分钟即可。

特点： 拆开纸包鸡,浓香扑鼻,别具风味。

火腿蒸鸡

原料： 鸡胸肉 200 克,火腿 4 片,酒 1 汤勺。

调料： A:高汤 1 杯,盐 1/2 茶勺,糖 1/2 茶勺。干淀粉 2 茶勺。

做法： ①每片火腿各切成 3 片。鸡肉加酒腌 10 分钟后,罩上保鲜膜,以微波 90% 火力加热 4 分钟,晾凉。 ②鸡肉切成适当大小,并与火腿片交互排列于盘中,以微波 90% 火力蒸 1 分钟。 ③混合 A 料,以微波 90% 火力加热 1 分钟,趁热加入水溶淀粉勾芡。把芡汁淋到鸡肉与火腿上即可。

特点： 肉质鲜嫩,醇香四溢。

白 切 鸡

原料: 光鸡1只(约1000克)。

调料: 葱6段,姜6片,味精1茶勺,盐1汤勺。

做法: ①鸡洗净血污,用盐及味精抹遍全身,将葱、姜塞入鸡肚内,腌30分钟使其入味。 ②将鸡放入盘内,以微波90%火力焖20分钟,取出晾凉后切块即可。

特点: 色泽如玉,鸡肉细嫩。

辣子鸡丁

原料: 鸡腿1只,小黄瓜3条。

调料: A:蛋白1个,盐1茶勺,酒1汤勺,白胡椒粉1/4茶勺,干淀粉1汤勺。B:蒜茸1汤勺,葱茸1汤勺,红辣椒1个,油3汤勺。C:盐1/2茶勺,糖1茶勺。

做法: ①鸡腿洗净,去骨切丁,放大碗中,加入A料搅匀;小黄瓜洗净切丁;红辣椒洗净切斜片备用。 ②取一锅,放入B料,以微波90%火力爆香3分钟,取出加入鸡丁,加盖,以微波90%火力烹调3分钟,再加入小黄瓜丁及C料拌匀,加盖,以微波90%火力烹调2分30秒即可。

特点: 色泽绚丽,辣香甜嫩。

凉 拌 鸭

原料: 冷冻鸭1/2只(约800克),粉丝3把。

调料: A:盐1汤勺,酒1汤勺。B:姜汁1茶勺,盐1/2

汤勺,水 1/4 杯。芥茉粉 1/4 茶勺,虾酱 1 茶勺,酒少许,水 2 杯。

做法： ①鸭冲洗净,鸭身内外用 A 料抹匀后腌 20 分钟,覆胶膜,以微波 80％火力煮 10 分钟,取出冷却后切块。②虾酱用酒调开备用。 ③粉丝加水 2 杯,覆胶膜,以微波 90％火力煮 5 分钟,取出切段,加上虾酱、芥茉粉及 B 料拌匀。④取一盘,盘中放粉丝,四周排上鸭块,覆盖胶膜,以微波 90％火力烹调 5 分钟即可。

特点： 鲜香嫩滑。

石岐乳鸽

原料： 乳鸽 1 只(约 250 克)。

调料： 酱油 4 汤勺,红糖 2 汤勺,香油 1 茶勺,味精 1/2 茶勺。

做法： ①乳鸽肉洗净擦干,以拌匀的调料擦匀鸽肚内及鸽身,腌约半小时。 ②将 50 克清水放入,拌匀,加盖或罩保鲜膜,用微波高段火力加热 5 分钟后,翻转乳鸽,继续以同样火力加热 5 分钟。 ③取出乳鸽,晾凉后切成 4 大块,摆成飞鸽形,淋回原汁即成。

特点： 肉香可口,广东风味。

注： 石岐为广东中山市城区地名。

蚝油鸡翼

原料： 鸡翅中段 8 只,姜 2 片,葱 2 段,油 2 汤勺。

调料： A:酱油 1 汤勺,酒 1/2 汤勺,胡椒粉少许。B:蚝油 1 汤勺半,砂糖 1 茶勺,香油少许。

做法 ①鸡翅洗净,冷藏鸡翅需解冻,擦干水分,拌入 A 料腌约 1 小时入味。 ②取 2 汤勺油放入深盘中,用微波高段火力烧热 3 分钟,放入姜、葱及腌好的鸡翅拌匀,再以同样火力煮 3 分钟。 ③用 B 料拌匀煮过的鸡翅,再用微波高段火力煮 3 分钟即成。

特点: 油亮棕黄,鲜嫩爽滑,广东风味。

如意蛋卷

原料: 虾仁 450 克,肥肉 75 克,蛋 4 个,紫菜 2 张,蛋白 2 个,油 1 汤勺。

调料: 酒 1/2 茶勺,盐 1/2 茶勺,香油 1/2 茶勺,胡椒粉少许。

做法: ①虾仁去泥肠洗净,晾干水分,与肥肉一起剁成泥,加上蛋白和调匀的调料,顺同一方向搅打至有粘性。 ②将蛋打散于大碗中备用。 ③取一烤锅,放入油 1/2 汤勺,以微波高段火力预热 3 分钟,倒入 1/2 的蛋液,将蛋液摊成薄片,以中高段火力煎 1 分钟后取出,置于盘中。 ④再将烤锅加油 1/2 汤勺,以同样火力预热 1 分 30 秒,将剩余的蛋液倒入,同上操作。 ⑤蛋皮摊开,将大碗中的肉料涂上,再铺上 1 张紫菜,再涂肉料,由两端向中心卷成如意形长条 2 个,置盘中,覆胶膜,以中高段火力蒸 8 分钟,取出切 2 厘米宽的片即可。

特点: 形似"如意",色彩绚丽,鲜软可口。

注: 烤锅第二次以后的预热时间为第一次的一半。

三色蒸蛋

原料： 皮蛋 3 个,咸鸭蛋 3 个,鸡蛋 3 个。

调料： 盐 1/4 茶勺,水 200 克,酒 1 茶勺,香油 1 茶勺。

做法： ①将皮蛋、咸鸭蛋去壳,切 2 厘米见方的小丁备用。 ②鸡蛋打散后,与调料、蛋丁拌匀。 ③取一深碗,内壁涂油,倒入拌匀的蛋丁,覆盖玻璃纸,以微波中段火力蒸 15 分钟,冷却后倒扣取出,切成长方形状,置于盘中即可。

特点： 色呈黄白褐,三种味道,咸鲜滑爽。

蛤蜊蒸蛋

原料： 蛤蜊 300 克,鸡蛋 3 个。

调料： A:盐 1 茶勺,味精 1/2 茶勺,酒 1/2 茶勺,油 1 汤勺,热高汤 1 杯半。葱花少许。

做法： ①蛤蜊泡盐水吐沙后洗净,置于盘中,覆胶膜,以微波高段火力煮 2 分 30 秒,取出,倒出蛤蜊汤汁备用。 ②蛋打散,加入 A 料和蛤蜊汤汁搅拌均匀,取一滤网过滤于深碗中,覆盖胶膜,以微波中段火力蒸 4 分钟。 ③取出蒸蛋,将蛤蜊排列于上,覆盖胶膜,以 60％火力再蒸 6 分钟。 ④撒上葱花即可。

特点： 色泽嫩黄,鲜嫩可口。

煲 蛋

原料： 鲜鸡蛋 2 只,热水 2 杯。

做法： 用铝箔纸包裹好整个鸡蛋,放进一个盛有 2 杯热水的容器内,加盖,以微波高段火力煮 4～6 分钟,即成半生熟蛋。

特点： 蛋白软爽。

注： 不能直接将鲜鸡蛋入炉微波加热,否则会破裂。

清煎蛋(煎荷包蛋)

原料： 鲜鸡蛋 1 个,猪油 2 汤勺。

做法： ①把煎碟放入炉,以微波高段火力预热 2 分钟。②放进猪油,用微波中高段火力加热 2 分钟后,打进鸡蛋,蛋黄和蛋白用牙签穿孔,用微波中高段火力加热 30 秒即成。

特点： 色泽美观,嫩熟可口。

注： 无煎碟,也可用碟盘,只是不会焦黄。做法见下一款"向日葵蛋"。

向日葵蛋

原料： 方形火腿 1/2 根,鲜鸡蛋 3 个,小黄瓜 1 条(装饰用)。

调料： 盐 1/2 茶勺,糖 1 茶勺,白胡椒粉、沙拉酱各适量。

做法： ①洗净黄瓜,用波浪刀法切斜片置盘中,加盐、糖,腌 10 分种。 ②火腿切 0.5 厘米厚片,再对切成三角形,围在盘子外围,打入 3 个蛋于盘中央,刺破蛋黄,覆盖胶膜,以微波高段火力煎 2 分 30 秒。 ③取出火腿蛋,边饰小黄瓜片,挤上沙拉酱,再撒上胡椒粉即可。

特点： 形似向日葵,色泽美观,甜里带咸辣。

水波蛋(煮荷包蛋)

原料： 鸡蛋 2 个,热水 60 毫升。

调料： 醋、盐各少许。

做法： ①用耐热玻璃器皿加进热水、盐和醋,用微波高段火力煮沸。 ②将鸡蛋打于容器中,在蛋黄及蛋清位置,用牙签穿几个小孔。 ③用保鲜纸盖住,以微波高段火力煮约 30 秒钟,即成荷包蛋。

特点： 外观完整,蛋白晶莹。

黄甫蛋

原料： 萝卜干 150 克,鸡蛋 4 只。

调料： 葱 3 根,蒜头 3 瓣,味精 1 茶勺,香油 1 茶勺,胡椒粉少许,油 8 汤勺。

做法： ①洗净萝卜干,晾干水分剁碎;葱、蒜头切碎备用。 ②盛 3 汤勺油放入盘内,并加入葱、蒜、萝卜干、香油、味精、胡椒粉拌匀,以微波高段火力爆炒 1 分 30 秒。 ③蛋打散淋在炒好的第②项材料中,加 5 汤勺油,继续以微波中高段火力加热 5 分钟,至蛋液凝结即可。

特点： 软香味鲜。

炒 蛋

原料： 鸡蛋 1 只。

调料： 盐、胡椒粉各少许,牛奶 4 汤勺,猪油适量。

做法： ①用玻璃容器,放入猪油,用微波中高段火力加热 30 秒溶解。 ②加进牛奶、盐和胡椒粉,用中高段火力炒 1 分钟,将打散的蛋倒入。以同样火力继续炒 30 秒即成。

特点： 奶香爽嫩。

火腿卷蛋

原料： 火腿 12 片,鸡蛋 8 个。

调料： A:盐 2 茶勺,开水 6 汤勺。B:芹菜(切碎)2 汤勺,洋葱(切成丁)1 个,碎核桃仁 2 汤勺,油 4 汤勺。胡椒粉 1 茶勺。

做法： ①蛋打散,依次加入 A 料、B 料,调匀成混合蛋液备用。 ②烤锅预热 8 分钟,倒入蛋液,并用煎铲搅拌成块状,再以微波高段火力煎 5 分钟,取出搅拌成糊状。 ③将火腿平铺于盘上,均匀撒上少许胡椒粉,放上 2 汤勺什锦蛋糊,卷成肉卷,并以牙签固定,即可食用。

特点： 制法独特,片薄红润油亮,馅金黄,香味浓郁。

三、水　产　类

　　没有比用微波炉烹调鱼或海鲜更好的方法了,它能快熟且保持湿度,因而汁多鲜嫩,原汁原味。烹调海鲜时,只要加极少量水就可以了。贝壳类因其壳不吸收微波,可带壳烹调。当海鲜刚熟,即边缘部分不透明而中部有点半透明时,就应从微波炉中取出,加盖放置片刻,利用余热煮熟。过度烹调,海鲜会干硬。熟的贝壳肉应不透明,虾和蟹肉应成粉红色。

　　冻鱼应先解冻和擦干水渍后,再烹调。放置时,边缘不要重叠,厚肉片朝外,盖保鲜膜或加盖。可用煎碟煎鱼,预热后,再放1张铝箔纸,整条鱼放在上面,中途可用小铝箔片遮盖易烹调干裂的头部和尾部。为增加烧烤风味,可撒些辣椒粉、香芹叶或面包屑在鱼肉片上。用中段火力烹调500克重的鱼或中等大小的去壳虾,约需5～7分钟,而扇贝只需约3～5分钟。烹调后,最好利用余热再放置5分钟,这样可减少实际烹调时间。熟的鱼肉不透明,并可叉成片。如不够熟,可再烹调30～60秒。

清蒸鳕鱼

　　原料:　鳕鱼500克,肉丝75克,香菇3朵。

　　调料:　A:红辣椒(切丝)1个,葱丝3汤勺。B:姜丝2汤勺,胡椒粉1茶勺,酒1汤勺,盐1茶勺。C:酱油1/2汤勺,干淀粉1茶勺,糖1/4茶勺,油1茶勺。

　　做法:　①鳕鱼洗净,加B料腌30分钟;肉丝加C料,腌

10 分钟;香菇用热水泡软,去蒂切丝备用。 ②将鱼放入盘中,肉丝、香菇和 A 料撒在鱼身上,覆胶膜,以微波高段火力蒸 6 分钟即可。

特点: 鱼肉鲜嫩,香味浓郁。

香蒸豉汁鱼

原料: 鲤鱼 1 条(约 500 克),猪肉丝 100 克。

调料: A:豆豉 2 汤勺,葱花 1 汤勺,姜茸 1 汤勺,红辣椒末 3 汤勺,油 3 汤勺。B:盐 1/2 茶勺,酒 1 汤勺,胡椒粉 1/4 茶勺。酱油 1 汤勺,网油 150 克。

做法: ①鱼洗净,在鱼身上划三刀,抹上 B 料备用。②肉丝加入 A 料拌匀,以微波高段火力爆香 2 分钟后,再加酱油拌匀。 ③将肉丝平铺在鱼身上,覆网油,以微波高段火力蒸 6 分钟即可。

特点: 形态美观,鱼肉细嫩,香辣适口。

糖醋鱼

原料: 鱼肉 200 克,鸡蛋 1 个。

调料: A:酒 1 汤勺,盐、胡椒粉各少许。B:水 1 茶勺,面粉 2 汤勺,淀粉 2 汤勺。C:糖 3 汤勺,醋 4 汤勺,盐 1/4 汤勺,酱油 1/2 汤勺,番茄酱 1/2 汤勺,高汤 1/2 杯,淀粉 1 汤勺。D:姜 1 片,蒜 1 瓣,香芹 1 棵,红椒 1/2 个。淀粉少许,油适量。

做法: ①鱼去骨与皮,切成 2 厘米见方的块,加入 A 料腌泡 20 分钟,抹上淀粉。 ②将蛋打散,与 B 料混合均匀。③混匀 C 料(淀粉待混)。 ④将鱼放入蛋液中拌匀,烤锅加油,以微波高段火力预热 15 分钟(油温达 180℃),将鱼块逐一放入炸油中炸成金黄色。　⑤将 D 料切成丝放入碗中,淋上 1 汤勺油,以微波高段火力加热 30 秒,倒入混匀的 C 料,再以微波高段火力加热 2 分钟,又倒入加水混合的淀粉,继续以微波高段火力加热 30 秒。趁热浇在炸好的鱼块上即成。

特点: 色泽暗红,外脆里嫩,甜中有酸。

红烧鱼

原料: 吴郭鱼 1 条

调料: A:叉烧肉(切片)100 克,胡萝卜(切片)1/4 条,豆腐(切片)1 块,葱 3 段,姜 1 小块,冬菇 2 朵。B:酱油 1 汤勺,味精 1/2 茶勺,盐 1/2 茶勺,温水 2 汤勺,干淀粉 1 汤勺,油 3 汤勺。酱油少许。

做法: ①鱼洗净,在鱼身两面各斜切 3 刀,抹上酱油。②冬菇泡软后切成长条形。　③鱼先以微波高段火力蒸 3 分钟,再将 A 料平铺鱼身,淋上调匀的 B 料,继续以微波高段火力烧 3 分钟即可。

特点: 肉肥鲜嫩,色紫红油润。

煎　鱼

原料: 虱目鱼 1 条。

调料: A:姜 5 片,盐 1 茶勺,酒 1 汤勺,酱油 1 汤勺,胡椒粉 1/4 茶勺。干淀粉 2 汤勺,油 3 汤勺。

做法: ①虱目鱼加工洗净拭干,身侧划斜刀,抹上 A 料,腌 30 分钟后,再抹上干淀 粉备用。　②烤盘以微波高段火力预热 7 分钟,铺上铝箔纸,加油,放上鱼,以微波高段火力煎 3 分 30 秒,翻面再煎 3 分 30 秒即可。

特点： 鱼身焦黄,外脆里嫩。

注： 铝箔纸不可触及炉内壁。

椒盐鲜鱿

原料： 水发鱿鱼 1 条,高丽菜 3 片。

调料： A:姜 1 小块,酒 1/2 汤勺。B:胡椒粉 1/4 茶勺,味精 1/4 茶勺,盐 1/2 茶勺。

做法： ①鱿鱼反面刻花切菱形片,加 A 料,覆盖胶膜,以微波高段火力加热 2 分钟去腥味。 ②高丽菜洗净切细丝,铺于盘底,将鱿鱼放在上面,淋入 B 料,覆胶膜,以微波高段火力蒸 2 分钟即可。

特点： 形美味鲜,脆嫩可口。

煎酿辣椒鱼

原料： 青、红灯笼椒各 2 个,鲮鱼肉 250 克,荸荠 4 粒,葱 2 段,油适量。

调料： A:酱油 2 茶勺,糖、淀粉、蒜末各 1/2 茶勺,水 3 汤勺,香油少许。 B:酱油、淀粉各 1 茶勺,盐 1/2 茶勺,胡椒粉、香油各少许。

做法： ①青、红椒洗净去籽对半切开;鲮鱼肉、荸荠、葱一起剁碎,拌入调料 B。 ②将鱼肉馅酿入辣椒里面。 ③取煎碟,用微波高段火力预热 3 分钟,再加油用同样火力煮 1 分钟,将辣椒放入煎碟用微波高段火力煎 2 分钟,翻转再煎 1 分钟,取出入盘。 ④将调料 A 混匀,以微波高段火力爆香 1 分钟,淋在鱼上即成。

特点: 色泽艳丽,脆嫩滑爽,麻辣浓香。

炸黄鱼

原料: 黄鱼 450 克。

调料: A:葱末 2 汤勺,姜末 1 茶勺,盐 1 茶勺,酒 1 汤勺,香油 1/2 茶勺。B:干淀粉 3 汤勺,水 1 汤勺。胡椒盐 1 汤勺半,芹菜叶 1 汤勺,油 1 杯半。

做法: ①黄鱼加工洗净去头尾,对剖后去大骨及鱼刺,取鱼肉横切成长条状,置碗中,用调匀的 A 料腌 30 分钟;B 料调匀成干淀粉糊备用。 ②黄鱼以粉糊粘裹均匀,备用。③烤锅加油,以微波高段火力预热 15 分钟,将黄鱼放入,以微波高段火力炸 1 分 30 秒,翻面再炸 1 分 30 秒。 ④取出装盘,撒上芹菜叶,吃时蘸胡椒盐即可。

特点: 色泽金黄,外酥香,鱼肉细嫩。

西湖醋鱼

原料: 鲜草鱼 1 条(约 600 克)。

调料: A:葱 5 段,姜 5 片,酒少许,胡椒粉少许。 B:酱油 3 汤勺,醋 2 汤勺,糖 1 汤勺,白汤 3/4 杯。C:玉米粉 2 汤勺,水 1 汤勺。葱丝 2 汤勺,嫩姜丝 2 汤勺,香油少许。

做法: ①鱼加工洗净后,从腹下剖开,使鱼摊成背部相连的一整片,用刀斩断中间大骨数处,抹上 A 料,置于盘中腌 30 分钟。 ②嫩姜丝用冷水略泡,挤干水分备用。 ③将鱼置盘中,覆盖胶膜,以中高段火力蒸 12 分钟,取出撒上嫩姜丝和葱丝。 ④将 B 料放一碗中调匀,以微波高段火力煮 3 分钟,取出,加入 C 料拌匀,以微波高段火力煮 30 秒成芡汁,淋在鱼身上,食前浇上少许香油即可。

特点: 色泽红亮,肉质鲜嫩,酸中带甜。

清蒸麒麟鱼

原料: 鲈鱼 1 条,香菇 3 朵,火腿(方形)3 片,姜 6 片。

调料: A:酒 1 汤勺,盐 1 茶勺,胡椒粉 1/8 茶勺,姜 6 片,葱 8 段。酒 1 汤勺。

做法: ①鲈鱼加工洗净后,将腹部剖开(使其能站立),鱼身两面各划斜刀 3 刀,用 A 料涂 鱼身备用。 ②香菇用水泡软去蒂,切对半;火腿切成 0.3 厘米厚的片状后,再对切成三角状;姜片切同火腿大小。 ③将香菇片、火腿片、姜片分别塞入鱼刀口肉缝后,将鱼立放在盘中,尾部以铝箔纸包起,在鱼的周围淋上酒,覆盖胶膜,以微波高段火力蒸 8 分钟,去铝箔纸即可。

特点: 鱼肉细嫩,别有风味,由于鱼身划斜刀,塞入辅料,形似麒麟。

注: 包上铝箔纸,以防鱼的尾部因较薄而干裂变形。

红烧肉片海参

原料: 水发海参 300 克,猪瘦肉 200 克,水发玉兰片 50 克,细胡萝卜 1/2 条。

调料: A:葱 4 段,姜 3 片,油 2 汤勺。B:酒 1 汤勺,醋 1

茶勺,香油 1 茶勺,热水 1/2 杯。 C:葱 5 段,姜 3 片,油 2 汤勺。D:酱油 2 汤勺,糖 1 汤勺,白汤 2/3 杯,盐 1/2 茶勺,味精 1 茶勺,酒 1 汤勺。E:干淀粉 1 汤勺,水 1 汤勺。

做法: ①海参对半剖开,洗去内膜,切成 4 片;胡萝卜去皮,与瘦肉、玉兰片洗净后,均切薄片备用。 ②放入 A 料于锅中,以微波高段火力爆香 2 分钟,取出,加入 B 料及海参,加盖,以微波高段火力煨煮 3 分钟。 ③捞出海参,另取一锅,放入 C 料,以微波高段火力爆香 2 分 30 秒,取出,加入海参、瘦肉片、玉兰片、胡萝卜片,并加入 D 料调匀,加盖,以微波高段火力烧 7 分钟取出,加入调匀的 E 料,加盖,再以微波高段火力煮 2 分钟即可。

特点: 汁宽味厚,滑润爽口,佐饭尤佳。

凉拌墨鱼

原料: 墨鱼 1 条,小黄瓜 1 根,嫩豌豆荚 20 个,淀粉 1 茶勺。

调料: A:姜汁少许,酒 1 茶勺。B:酱油 1 汤勺半,醋1/2 汤勺,芥末酱 1 茶勺,糖 1/2 茶勺,香油少许。开水 1/2 杯。

做法: ①墨鱼切开去皮,用刀剞格子花纹,切 4 等分的长方形,再切成一口大小的片,加 A 料腌泡入味;小黄瓜切斜片。 ②嫩豌豆荚去筋,用保鲜膜包裹,以微波 90% 火力加热 1 分钟,取出泡水后,切成两半。 ③取半杯开水放入耐热器皿中,将墨鱼片抹上淀粉后放入,罩上保鲜膜,以微波 90% 火力加热 1 分钟。 ④混合墨鱼片、小黄瓜、豌豆夹后,拌入调料 B 即可。

特点: 清凉,酸软可口。

盐 烘 虾

原料： 海虾 350 克。

调料： 姜 5 片,蒜头 3 瓣,盐 1 茶勺,酒 1 汤勺,白胡椒粉 1/4 茶勺。

做法： ①虾用牙签去泥肠洗净,晾干水分,放入大碗中,加入调料拌匀。 ②虾头朝外,尾朝内,摆在盘的四周,覆盖胶膜,以微波 90% 火力加热 3 分钟即可。可另装盘并加以点缀。

特点： 色泽鲜红,肉质鲜嫩。

注： 微波烹调,以容器四周受热最直接,所以食物厚的部分应放在容器的周边。

扣 虾 饼

原料： 虾仁 38 克,粉丝 2 把,荸荠 5 个。

调料： A:蛋白 1 个,盐 1 茶勺,胡椒粉 1/4 茶勺,酒 1 汤勺。B:盐 1 茶勺,姜汁 1/4 茶勺,香油 1/2 汤勺,白汤 3/4 杯。香油 1 茶勺,香菜少许。

做法： ①虾仁去泥肠,洗净,加入 A 料拌匀腌 10 分钟。②荸荠去皮洗净,放入袋中,拍碎去生水,取出;粉丝用温水泡软,切段备用。 ③取一深碗,内壁涂上香油,将虾仁排满碗壁,中央铺上粉丝及荸荠,再将 B 料调匀淋上,覆胶膜,以微波 80% 火力蒸 15 分钟,取出倒扣在盘中,放上香菜即可。

特点： 色泽黄红,形态美观,虾嫩鲜美。

纸包龙虾

原料： 龙虾 1 只(约 900 克),咸蛋黄 8 个,香菜少许,沸水 5 杯。

调料： 蛋白 1 个,盐 1 茶勺,酒 1 茶勺,淀粉 1/2 茶勺,胡椒粉少许。

做法： ①龙虾洗净去壳,头尾留用,虾肉切片并拌入调料,咸蛋黄切半后,用刀面压扁。 ②将咸蛋黄和香菜放在中间,虾肉放两侧,用玻璃纸(16 张,每张 10 厘米见方)逐个包起成 16 包,置盘中,以微波 90％火力蒸 3 分 30 秒取出。③沸水倒入锅中,将龙虾头和尾放入,以微波 90％火力蒸 15 分钟(其间须翻面一次),然后取出晾干,装饰于盘上即可。

特点： 色泽鲜艳,造型美观,味道鲜香。

碧绿虾仁

原料： 花椰菜 250 克,虾仁 150 克。

调料： 葱 2 根,姜 4 片,盐、味精各 1/2 茶勺,酒 1/2 汤勺,油 3 汤勺。

做法： ①虾仁洗净,加酒、1/4 茶勺盐及葱、姜,调匀腌 10 分钟,取出姜、葱。 ②花椰菜洗净,瓣成小朵。 ③虾仁和花椰菜加 3 汤勺油、1/4 茶勺盐及味精,拌匀后覆盖耐热保鲜膜,以微波 90％火力烹调 3 分钟即可。

特点： 花椰菜碧绿,虾仁洁白,味鲜美。

炒 蛤 蜊

原料： 蛤蜊 500 克，叶菜少许。

调料： 葱 1 根，姜 3 片，蒜 3 瓣，盐 1/2 茶勺（溶成盐水）。

做法： ①蛤蜊洗净，浸泡盐水中，以利其吐沙。 ②葱、姜、蒜切成碎末，放入泡好的蛤蜊中，以微波 90％火力炒 4 分钟，边饰叶菜装盘即可。

特点： 滋味鲜美。

啤酒烤蟹

原料： 蟹 600 克。

调料： 啤酒 1 杯，蛋清 3 个，盐少许，胡椒粉少许，淀粉少许。

做法： ①剖开蟹，保留蟹盖完整，并剁成几块，洗净，沥干，以淀粉拌匀；蛋清加入盐、胡椒粉和啤酒拌匀，成蛋清啤酒液。 ②将蟹件放锅中，上加蟹盖，淋上蛋清啤酒液，加盖以微波高段火力加热 6～8 分钟即熟。然后，取出装盘，保持蟹的完整形状，并在盘内加以装饰。

特点： 醇鲜可口。

四、蔬 菜 类

微波炉烹调蔬菜,加热时间短,用水汁量极少,因而能保持原汁原味和营养价值。烹调新鲜蔬菜时,每500克加2~3汤勺水于碟中,土豆、南瓜和玉蜀黍不用加水。盐应在烹调后加,或先加入盐水于碟中,再放入蔬菜,否则易使食物变得干燥。烹调蔬菜要加盖或罩保鲜膜,可用高段火力烹调,中途要搅拌、翻转。蔬菜也可整棵和无需削皮直接入炉烹调,粗大部分朝外放置。土豆类有完整表皮的蔬菜要刺破表皮,以便释放蒸汽,每对间距约2厘米,排成圆环形,烹调时记住要翻转。烹调后,最好再盖住或包裹放置5分钟。也可一次同时烹调不同种类的蔬菜。取一个大盘或耐热袋,将密度大的蔬菜朝外放,密度低的放中间,这样就可均匀烹调。冷藏菜无需解冻即可烹调,大多数菜因有冰霜溶水而无需加水。罐装菜只需温热,时间要短。食谱中定出的烹调时间仅是一般数据,因蔬菜的新鲜度、形状、大小、初温以及各人的口味不同,烹调时可灵活掌握。

凉拌干丝

原料: 干丝200克,芹菜(小的)3棵。

调料: 盐少许,香油1茶勺,味精少许,辣油2茶勺,碱1粒(花生米粒大),热水适量。

做法: ①锅内盛3碗热水,加入碱,将干丝放入,以微波90%火力烫煮30秒,见干丝泛白、嫩滑时,用漏勺捞出冲洗冷水,置于碗内备用。 ②芹菜洗净切段,放上干丝,加盐、味精、香油、辣油拌匀,以微波 90％火力烹调 1 分钟即可。

特点: 绵软,味鲜辣香。

注: 干丝(米粉或面)在碱水中煮烫时间不可过长,否则太烂。

翠玉黄瓜

原料: 小黄瓜 250 克。

调料: 盐 1/3 汤勺,白糖 1 汤勺半,醋 1 汤勺半,蒜末 1 茶勺,香油 1 汤勺,花椒数粒。

做法: ①黄瓜洗净,先分割成 4 段,再切成长条形,盛入碗内用盐腌 20 分钟,晾干水分。 ②将黄瓜条加入白糖、醋、盐、蒜末、花椒拌匀,以微波 90％火力加热 40 秒,再加入香油拌匀即可。

特点: 甜里带咸,酸辣浓香。

翡翠白玉卷

原料: 大白菜 600 克,菠菜 450 克。

调料: 酱油膏 3 汤勺,糖 1 汤勺,醋 1 汤勺,香油 1 汤勺,凉开水适量。滚开水适量。

做法: ①大白菜叶摘下洗净,覆盖胶膜,以微波高段火力煮 6 分 30 秒, ②菠菜洗净,覆胶膜,以微波高段火力煮 3 分 30 秒,取出冲滚开水,备用。 ③取 2 片大白菜叶,部分重叠摊开成一大片,将菠菜对折后放入卷起,逐个做好,切成长约 4 厘米的小段,置于盘中。 ④食前再沾取调匀的全部调料即可。

特点： 菠菜如翡翠,白菜如白玉,清新丽雅,风味宜人。

四色素菜

原料： 青江菜 12 棵,番茄 3 个,玉米笋 24 根,香菇 10 朵。

调料： A:酱油 1 茶勺,糖 1 茶勺。B:盐 1 茶勺,鸡晶 1 茶勺,白汤 3/4 杯,香油 1 茶勺。C:淀粉 1 汤勺,水 1 茶勺。水 1/2 杯,凉开水适量,油 3 汤勺。

做法： ①青江菜洗净,覆盖胶膜,放入耐热袋中,加油,松散地结起袋口,以微波高段火力煮 6 分钟,取出,用凉开水冲凉备用。②玉米笋洗净,放入耐热袋中,袋口松散结起,以微波高段火力煮 5 分钟取出,与青江菜相间围于盘的最外层。

③番茄洗净,底部朝上轻划十字刀纹,放入另一盘中,覆盖胶膜,以微波高段火力煮 6 分钟,取出,撕去表皮,每个切成 8 等份,排盘于第二层。④香菇洗净后加水,以微波高段火力煮 3 分钟,取出去蒂,置于另一碗中,加上 A 料,调匀,覆盖胶膜,以微波高段火力烹调 5 分钟,再取出摆于盘的内上层。
⑤另取一碗,加入 B 料,以微波高段火力煮 3 分钟,取出加入 C 料,搅匀,以微波高段火力煮 1 分钟成芡汁,淋在四色素菜上即可。

特点： 褐、红、黄、绿四色相间,美观诱人,味道多样。

蚝油金菇卷

原料： 芥蓝菜 300 克,嫩牛肉 450 克,金针菇 180 克,红辣椒(切丝)2个,蒜头3瓣。

调料: A:酒1汤勺,酱油1汤勺,淀粉1/2汤勺。B:冰糖1/2汤勺,胡椒粉少许,蚝油3汤勺,水3/4杯。C:淀粉1汤勺,水1汤勺。油4汤勺。

做法: ①嫩牛肉切大薄片,用A料腌10分钟;金针菇洗净去根部备用。 ②蒜头去皮,洗净后稍拍放入碗中,加油2汤勺,以微波高段火力爆香2分30秒,取出,放入金针菇、红辣椒丝搅拌均匀。 ③将每片牛肉包上适量的金针菇和红辣椒丝,逐个包好后置于盘中,覆盖胶膜,以微波高段火力煮4分钟。 ④芥蓝菜洗净,切成3厘米长小段,放入耐热袋中,加油2汤勺,袋口松结起,以微波高段火力煮3分钟,摆放在牛肉卷四周。 ⑤将B料放入碗中调匀,以微波高段火力煮3分钟,加入C料拌匀,再以微波高段火力煮1分钟成芡汁,淋在牛肉卷上即可。

特点: 浓油赤酱,质嫩味鲜,麻辣香甜。

玉树兰花

原料: 虾300克,苹果2个,小黄瓜1根,胡萝卜1/2条。

调料: A:油1茶勺,胡椒粉少许,盐1茶勺,淀粉1茶勺,水1茶勺。B:油2汤勺,葱末1茶勺,姜末1茶勺。C:芝麻少许,沙拉酱5汤勺。

做法: ①虾去壳留尾,去泥肠,洗净后以拌匀的A料腌10分钟。 ②苹果、胡萝卜、小黄瓜洗净去皮,切成0.5厘米宽的窄片。 ③将B料放入碗中,以微波高段火力爆香2分30秒,取出,放入虾仁、红萝卜,覆盖胶膜,以微波高段火力烹调 1 分 30 秒备用。　④取一盘,将所有材料放入,并加入 C 料拌匀即可。

特点:　色泽五彩缤纷,清淡爽口。

油香茄子

原料:　茄子 2 个,绞猪肉 150 克。

调料:　A:葱 2 根,姜 1 小块,蒜 1 头,红辣椒 2 个。B:盐 1/2 茶勺,酱油 1 汤勺,味精 1/2 茶勺,胡椒粉 1/2 茶勺。湿淀粉 2 茶勺,油 3 汤勺。

做法:　①茄子洗净以滚刀法切块;A 料均切末。　②将油、肉末及 A 料、B 料放入盘中混匀,以微波高段火力加热 2 分钟,再放入茄子拌匀,继续加热 4 分钟后淋上淀粉汁,勾芡拌匀,再加热 1 分钟即可。

特点:　色泽金红,香辣麻鲜,肥糯可口。

素炒菠菜

原料:　菠菜 300 克。

调料:　蒜头 3 瓣,盐 1 茶勺,油 3 汤勺。

做法:　①蒜头拍松加油,以微波高段火力爆香 2 分 30 秒备用。　②菠菜洗净,切段,放入耐热袋中,加盐及爆香过的蒜头和油,袋口结起,以微波高段火力烹调 3 分钟,取出倒入盘中即可。

特点:　色泽翠绿,蒜香菜嫩。

开洋白菜

原料： 大白菜 300 克,虾米 2 汤勺。

调料： A:油 4 汤勺,酒 1 茶勺,盐 1 茶勺。B:干淀粉 1 汤勺,水 2 汤勺。姜 3 片,油 3 汤勺。

做法： ①虾米用水泡软,取出置碗中,加油,以微波高段火力爆香 2 分 30 秒。 ②大白菜叶洗净,斜刀切成 4 厘米宽的小片,放在深盘中,加入姜片、虾米及 A 料,覆盖胶膜,以微波高段火力煮 3 分钟,再以中高段火力焖 4 分钟。 ③取出白菜拌入 B 料,覆胶膜,以微波高段火力再煮 2 分钟即可。

特点： 虾鲜菜糯,清淡可口。

蚝油芥蓝菜

原料： 芥蓝菜 450 克。

调料： 糖 1 茶勺,蚝油酱 1 汤勺,酱油膏 1 茶勺,高汤 1 汤勺,香油 1 茶勺。

做法： ①芥蓝菜洗净,将梗叶交错平摆,放入耐热袋中,袋口结起(不要太紧),以微波高段火力煮 4 分钟,取出置于盘中。 ②取一碗,将全部调料调匀,淋在芥蓝菜上即可。

特点： 鲜嫩爽滑,广东风味。

丝瓜炒面筋

原料： 丝瓜 2 条,罐头面筋 1 听。

调料： 姜茸 1.5 汤勺,熟猪油 3 汤勺,盐 1 茶勺,味精少许。

做法： ①取一碗,放入姜茸,熟猪油和味精,以微波高段火力爆香2分30秒备用。 ②丝瓜洗净去皮,切滚刀块置于锅中,加入爆香过的调料、面筋、面筋罐头汁液和盐,加盖,以中高段火力烹调6分钟即可。

特点： 金黄翠绿,味鲜软糯。

酱烧冬笋

原料： 冬笋600克。

调料： 熟猪油2茶勺,甜面酱1茶勺,葱花2茶勺,香油、黄酒、盐各少许,白糖、鲜汤各2茶勺。

做法： ①冬笋连皮洗净,罩保鲜膜,置于盘中,将厚的一端朝外,以微波高段火力煮7分钟,取出放入冷水内冷却。②冬笋切去老根剥皮,再切滚刀块,置于盘中。 ③用高段火力爆香全部调料2分钟,将汁淋于盘中笋块上,即可热食或凉食。

特点： 色泽酱黄,鲜香脆嫩,咸中带甜,四川风味。

八宝芋泥

原料： 芋头800克。

调料： A:冰糖5汤勺,热水3/4杯。B:冰糖4汤勺,热水2杯。C:蜜枣1杯,红枣1杯,莲子1/2杯。D:淀粉2汤勺,水1汤勺,热水1杯,葡萄干1/2杯。豆沙泥110克,花生油适量。

做法： ①芋头洗净去皮,削成薄片,与调匀的A料放入碗中,覆盖胶膜,以微波高段火力煮 15 分钟,压成泥状备用。
②将 B 料和 C 料放碗中混匀,以微波高段火力煮 8 分钟,取出,浸泡约 1 小时,使其入味,晾干;豆沙泥略加压揉成饼状备用。 ③另取一碗,铺上两面涂油的玻璃纸,将莲子、蜜枣、红枣、葡萄干在碗底排列花纹,填入芋泥至半碗深,把玻璃纸向内折回,覆盖胶膜,以微波中高段火力蒸 12 分钟,取出倒扣于大盘中。 ④取一碗,放入 D 料,拌匀,以微波高段火力煮 30 秒成芡汁,加上花生油少许搅拌后,淋于芋泥上即可。

特点: 形态美观,用料众多,色彩绚丽,甘甜可口,润滑如脂。

雪花马蹄露

原料: 马蹄(荸荠)600 克,樱桃适量。

调料: 冰糖 120 克,热开水 4 杯,玉米粉 3 汤勺,水 2 汤勺,鸡蛋清 2 个。

做法: ①将马蹄去皮洗净,放入胶袋中,用刀背拍碎,去水备用。 ②放马蹄、冰糖、热水于一大碗中,加盖,以微波 90％火力煮 10 分钟,再加入玉米粉、2 汤勺水,拌匀后,加盖,以微波 90％火力煮 3 分钟备用。 ③另取一大碗,将蛋清放入打散,用打蛋器打至蛋清挺硬形成雪花,加入马蹄露中搅拌一下,放上樱桃作点缀,即可。

特点: 洁白如雪,马蹄清甜。

注: 马蹄去皮后泡水冷存,颜色不易变黄。

绿豆汁

原料： 绿豆 300 克。

调料： 水 4 杯,糖 60 克,热水 2 杯。

做法： 洗净绿豆,置锅中,加水,浸泡 2 小时后加盖,以微波 90% 火力煮 15 分钟,再以微波 50% 火力煮 30 分钟,加入糖、热水,拌均匀,加盖,以微波 90% 火力煮 5 分钟即可。

特点： 色泽素黄,清甜解暑。

干贝玉片

原料： 芥菜心 600 克,干贝 5 粒。

调料： 姜汁 1 汤勺,盐 1/2 茶勺,酒 1/2 汤勺,湿淀粉 2 汤勺,凉开水 2 杯半,花生油 2 汤勺,水 1/2 杯。

做法： ①干贝放入碗中,加水,覆盖胶膜,以微波 90% 火力煮 5 分钟,取出,将干贝撕成丝,汁留用。 ②将洗净的芥菜心切成大块,放入耐热袋中,加油,袋口松扎起,以微波 90% 火力煮 4 分钟,取出浸于凉开水中,凉后晾干,排于盘中。 ③加半杯干贝汁、盐及酒于另一碗中,调匀后以微波 90% 火力煮 3 分钟,再加入干贝丝、姜汁及湿淀粉,以微波 90% 火力煮 1 分钟成芡汁,淋在芥菜心上即可。

特点： 浓香味鲜,菜心爽脆。

酸甜白菜

原料： 白菜 200 克,胡萝卜少许。

调料： 红辣椒(切丝)1个,盐适量,糖、醋各4汤勺。

做法： ①白菜切长5厘米、宽0.3厘米的条状,加盐揉搓,放入已切丝的胡萝卜,放置20分钟,拧干水分。 ②红辣椒丝加入糖、醋及1撮盐,以微波90%火力加热2分钟,取出,将热汁倒在腌过的白菜条上,晾凉即可进食。 ③此菜可在冰箱中保存2～3日。

特点： 酸甜辣脆。

青椒炒花生

原料： 青椒2个,生花生75克,里脊肉150克。

调料： A:酱油1汤勺,干淀粉0.5汤勺,盐少许。油3汤勺,蒜头3瓣。

做法： ①里脊肉切成1厘米见方的小丁块,置于碗中,加入A料拌匀备用。 ②青椒洗净去子切丁;蒜瓣洗净略拍去膜;花生洗净置于盘中,以微波高段火力炸4分钟(中途须搅拌),取出晾凉,去膜备用。 ③取一盘,放入肉丁和油,拌开后,加上蒜头,覆胶膜,以微波高段火力烹调3分钟,取出放入青椒丁和盐,加盖,再以微波高段火力烹调3分钟,撒上花生即可。

特点： 色彩缤纷,油脆香辣。

炒腰果

原料： 腰果250克。

调料： 砂糖适量。

做法： ①腰果洗净,控干,拌入砂糖。 ②将腰果放入一浅碟摊平,以微波高段火力炒 8 分钟即熟,中间每 2～3 分钟翻拌一次。

特点: 酥脆,香甜。

白 菜 卷

原料: 大白菜 1/2 棵,鸡肉 110 克,虾仁 110 克,猪肉 110 克,香菇 3 朵,火腿 2 片。

调料: A:干淀粉 1 茶勺,盐 1 茶勺,味精少许,胡椒粉少许。B:热水 3/4 杯,牛奶 3 汤勺,味精 1/2 茶勺,盐少许。C:干淀粉 2 汤勺,水 3 汤勺。

做法: ①香菇泡软切丁;火腿切细丝,备用。 ②将鸡肉、虾仁、猪肉分别洗净剁成泥,一起放入耐热袋中,加 A 料和香菇丁拌匀后,持袋口摔打,使之具有弹性。 ③大白菜叶洗净后取叶片,装入耐热袋中,袋口结起(不要太紧),以微波高段火力煮 4 分钟,取出用冷水冲凉备用。 ④将肉馅包入菜叶中,整齐排在盘中,覆胶膜,以微波高段火力煮 8 分钟取出。⑤将 B 料调匀,以微波高段火力煮 3 分钟,把调匀的 C 料和火腿丝倒入,拌匀,以微波高段火力煮 2 分钟,取出淋在菜卷上即可。

特点: 色泽亮黄,鲜嫩可口。

酿豆腐

原料: 绞猪肉 150 克,豆腐 2 块,芹菜 1 根。

调料: A:盐适量,味精少量,胡椒粉少许,干淀粉 1 茶勺,香油 1 茶勺,葱花 1 茶勺。B:酱油 1 汤勺,味精少量,高汤

3/4杯。C:干淀粉1汤勺,水2汤勺。干淀粉1.5汤勺,胡椒粉少许。

做法: ①芹菜洗净切末;豆腐洗净,每块等分成4小块,排于盘中,再用小汤勺轻挖出中间的豆腐约2/3深,取干淀粉少许,撒于每小块豆腐中间凹处备用。 ②将A料调匀,放入绞肉,搅拌至有粘性后,填入豆腐凹处。 ③B料调匀,淋在豆腐上,覆胶膜,以微波高段火力煮5分钟,倒出汁液备用。 ④C料拌匀,与前备用的汁液混合,以微波高段火力煮30秒取出,淋在豆腐上,再撒上芹菜末及胡椒粉即可。

特点: 形态美观,肉质鲜嫩。

麻婆豆腐

原料: 嫩豆腐2块。

调料: A:绞猪肉110克,辣豆瓣酱2汤勺,姜茸1茶勺,油3汤勺。B:酱油2汤勺,高汤1杯,酒1汤勺。C:干淀粉1汤勺,水1汤勺。香油0.5汤勺,葱花1汤勺,花椒粉1茶勺。

做法: ①豆腐切成1.5厘米见方的小丁放盘中。 ②将A料调匀放入碗中,以微波高段火力爆香5分钟,取出与B料调匀,淋在豆腐上,覆盖胶膜,再以微波高段火力烹调5分钟。 ③取出豆腐,倒出汤汁与C料混合后,以微波高段火力煮30秒成芡汁,淋在豆腐上。 ④撒上葱花、香油、花椒粉即可。

特点: 麻辣鲜香,色泽金黄。

肉茸烧豆腐

原料： 豆腐 2 块,绞猪肉 150 克。

调料： A:油 3 汤勺,酱油 1 茶勺,干淀粉 1 茶勺。B:盐 1/2 茶勺,味精 1/2 茶勺,胡椒粉 1/4 茶勺,辣油 2 汤勺,葱花 1 汤勺,水 2 汤勺。

做法： ①豆腐切丁备用。 ②绞肉加 A 料拌匀,以微波高段火力烹调 2 分钟。 ③加入豆腐及 B 料,继续以微波高段火力烹调 3 分钟即可。

特点： 鲜嫩,润滑。

蟹黄豆腐

原料： 母蟹 1 只,绞猪肉 110 克,豆腐 3 块。

调料： A:姜茸 1/2 汤勺,油 2 汤勺。B:盐 1 茶勺,香油 1/2 茶勺,胡椒粉少许,酱油 1 汤勺,鸡晶 1 茶勺,高汤 1/2 杯。C:干淀粉 1 汤勺,水 1 汤勺。葱花 1 汤勺。

做法： ①蟹洗净剥开,取出蟹黄;豆腐切成 3 厘米见方的块。 ②将 A 料放入大碗中,以微波高段火力爆香 2 分钟,再放入蟹黄、绞肉及 B 料,调匀后淋在豆腐上,覆盖胶膜,以微波高段火力烹调 5 分钟,取出。 ③将豆腐汤汁倒入另一碗中,加入 C 料调匀,以微波高段火力煮 1 分钟成芡汁,淋在豆腐上,撒上葱花即可。

特点： 色泽淡黄,鲜嫩润滑,上海风味。

老少平安

原料： 豆腐花 1 碗,鸡蛋 2 个,叉烧肉 50 克,虾仁 150 克。

调料： A:葱头屑 50 克,香油 1 茶勺,酱油 1 汤勺。 B: 盐 1/2 茶勺,糖少许,味精 1/2 茶勺,胡椒粉少许,熟油 1 汤勺。

做法： ①虾仁洗净切碎,叉烧肉切碎,一起放入豆腐花及蛋液中,加调匀的 A 料,搅拌均匀后覆盖胶膜,以微波高段火力烹调 5 分钟。 ②取出加 B 料调匀即可。

特点： 豆腐嫩白,味鲜滑润。

糖汁莲藕

原料： 莲藕 600 克,糯米 1/2 杯。

调料： 糖 1 杯,水 1 杯,淀粉 2 汤勺。

做法： ①莲藕洗净削皮,依节切开。在离节约 2 厘米处切下一小段,作盖子用。 ②糯米洗净,灌入莲藕洞内,轻轻敲打,使糯米填满洞中,盖上盖子,用 3 根牙签把盖固定。' ③取有盖器皿,放入莲藕,加水,淹过莲藕,加盖,以微波高段火力煮 30 分钟,取出,将汁液倒出,晾凉;再加入糖水,加盖,以微波高段火力煮 10 分钟后,再以微波中段火力煮 30 分钟,取出切 0.5 厘米厚的圆片装盘。 ④倒出汁液,加入淀粉糊(加水 1 汤勺)拌匀,以微波高段火力煮 3 分钟,淋在糖藕上即可。

特点： 莲藕粉嫩,汁稠,清甜可口。

虾仁豆腐

原料： 虾仁 300 克,毛豆 150 克,嫩豆腐 2 块。

调料： A:葱 1 根,姜 3 片,酒 1/2 汤勺,盐少许,淀粉 1 茶勺。 B:盐少许,味精、胡椒粉、香油各 1/3 茶勺,酒 1 茶勺,淀粉 1 汤勺,热水 2 汤勺,油 3 汤勺。

做法： ①虾仁去泥肠晾干水分,以调料 A 腌泡 10 分钟。 ②虾仁与毛豆加 3 汤勺油,以微波 90％火力烹调 2 分钟。 ③豆腐切 2 厘米见方的小块,加入虾仁毛豆中拌匀,淋入调料 B,继续烹调 3 分钟即可。

特点： 色泽红白相间,味鲜滑嫩。

盐水蚕豆

原料： 蚕豆 300 克。

调料： 油 2 汤勺,红糖 2 汤勺,盐 1 茶勺,水 1/2 杯。

做法： ①将蚕豆及油拌匀,放入耐热容器内,加盖,以微波高段火力煮 4 分钟。 ②拌入余料,搅匀加盖,以微波高段火力煮 3 分钟即可。

特点： 色泽油黄,咸甜软爽。

什锦沙拉

原料： 胡萝卜 1 根,马铃薯 2 个,火腿 3 片,小黄瓜 2 根,鸡蛋 1 个。

调料： 胡椒粉、糖、盐各 1 茶勺,沙拉酱适量。

做法： ①胡萝卜去皮洗净切丁;马铃薯洗净去皮,切薄片,用水泡 10 分钟,取出沥干;再将两者分别放入耐热袋中,以微波高段火力煮 12 分钟。 ②黄瓜切成丁,盐腌 10 分钟;火腿切成小丁;熟马铃薯压成泥。 ③蛋打入碗中,用牙签刺破蛋黄,以微波高段火力煮 1 分钟,蛋白切丁,蛋黄剁碎备用。

④马铃薯泥拌入胡萝卜丁、黄瓜丁、火腿丁及蛋白丁,再加入其余调料拌匀,撒上碎蛋黄即可。

特点： 色美味鲜,甜咸可口,是简便早餐。

五、米面类

　　米和面食大多为干食品,需加水浸没,选择的容器应足够大,不致于溢出。一般 1 杯米或面食,可烹调出 3 杯体积的食品。烹调时,最好加用热沸水,加盖或罩保鲜膜,这样可缩短烹调时间和减少水分的蒸发。选用微波高段火力烹调,中间搅拌一两次即可,不必频繁搅动,以免使米面食品成糊。尽管用微波炉煮米面食品节约不了多少时间,但不会烧焦或结锅底,当设定的烹调时间用尽便会自动关闭,作好的米面食品会很松软可口,这无疑减少了许多精力和洗锅底的劳作。烹调后的米面食物,应加盖再放置 5 分钟左右,则更加香熟。

　　另外,在蒸米粑、年糕或面皮制品时,要用一些湿纸巾或湿纱布覆盖。烹调中途,为防干裂也可洒些清水。返热此类食品时,同样要注意保持湿度,必要时应加 1～2 茶勺水。

蒸　饺

　　原料: 猪肉 150 克,冬菇 2 朵,虾米半汤勺,饺子皮 22 张。

　　调料: 酱油 2 茶勺,葱末半汤勺,姜茸半茶勺,淀粉 1 茶勺,水 1 汤勺,盐、香油各少许。

　　做法: ①冬菇、虾米浸软洗净,与猪肉一起剁碎,将调料与剁碎的原料拌匀,再加入葱末和姜茸,混匀作肉馅。　②肉馅分成 22 等份,每份再包上饺子皮,将包好的饺子排放在盘上。　③取一耐热碟,将纸巾或纱布湿透放碟上,再摆好饺子,罩保鲜膜,以微波高段火力加热 5～6 分钟,即可食用。

特点: 色泽微黄,皮软馅嫩,味道香鲜。

炒 米 粉

原料: 米粉(湿的)300 克。A:木耳 4 朵,胡萝卜 1/2 条,鸡腿肉 75 克,洋葱 1/2 个。

调料: B:油 6 汤勺,沙茶酱 2 汤勺,米酒 1 汤勺。C:水 1/4 杯,酱油 2 汤勺,糖 1 茶勺,盐 1/2 茶勺。香菜少许。

做法: ①A 料切成丝,与 B 料混匀,加盖,以微波 90% 火力炒 5 分钟。取出加入米粉及 C 料,拌匀后加盖,再以微波 90% 火力烹调 5 分钟。 ②取出拌匀,加上香菜即可。

特点: 用料与味道多样,熟软可口。

什锦炒米粉

原料: 米粉 1 包,猪肉 100 克,虾米 50 克,香菇 3 朵,青椒 1 个,芹菜 100 克,韭黄 100 克,笋 1/2 根,豆芽 300 克,胡萝卜 1/2 条,油 3 汤勺。

调料: 盐 1 茶勺,糖 1 茶勺,味精 1/4 茶勺,酱油 2 汤勺,油 2 汤勺。

做法: ①米粉、虾米、香菇浸水泡软。 ②猪肉、青椒、香菇、胡萝卜、笋均切成丝,韭黄、芹菜切段。将各丝、段、虾米混匀,加 3 汤勺油,拌匀后覆盖胶膜,以微波高段火力加热 3 分钟。 ③晾干泡软的米粉,加调料拌匀后,再以微波 90% 火力炒 5 分钟。 ④将炒熟的肉丝等与豆芽倒入炒过的米粉中拌匀,再以微波 90% 火力烹调 2 分钟即可。

特点： 取料丰盛，质嫩味鲜，麻辣浓香，口味多样。

炒　面

原料： 面条 300 克，猪肉 75 克。

调料： A:酱油 1 汤勺，淀粉 1 茶勺，油 1 茶勺。B:香菇 3 朵，鲜菇 2 朵。C:酱油 2 汤勺，糖 1 茶勺，豆芽 75 克，韭黄 50 克，水 1/2 杯。胡椒粉少许。

做法： ①将猪肉切成丝和 A 料拌匀，腌 10 分钟备用。②香菇泡软切丝，鲜菇洗净切丝，豆芽洗净去头尾，韭黄洗净切段备用。　③将腌好的肉丝与 B 料拌匀，加盖，以微波 90% 火力烹调 5 分钟，再加入面条和 C 料拌匀，加盖，又以微波 90% 火力烹调 5 分钟，最后撒上胡椒粉即可。

特点： 色泽油黄，软熟香鲜。

水晶饺

原料： A:薯粉 300 克，淀粉 50 克，油 1 汤勺。　B:绞好的猪肉 75 克，荸荠 225 克，香菇 3 朵，葱 2 根，酱油 2 汤勺，五香粉 1/4 茶勺，盐 1 茶勺，糖 1 茶勺。面粉 3 汤勺，沸水 1 杯，湿纱布 1 块，热水 1 杯，自来水 1/2 杯，油少许。

做法： ①将 A 料混匀，用沸水冲烫，和匀，用手揉压成面团，饧 30 分钟，再揉成长条，切成 24 等份，做成中间较厚、周边较薄的面皮，放在撒有 1 汤勺面粉的盘里。　②荸荠去皮洗净，拍碎去生水；香菇加水，以微波高段火力煮 3 分钟，剁碎备用。　③将 B 料搅匀，放入锅中，加盖，以微波高段火力烹调 5 分钟，再加放面粉 2 汤勺拌匀，将肉馅包入面皮内做成水晶饺,置于盘中。　④蒸锅中加入热水,隔板涂油,摆上水晶饺,再盖上湿纱布,加盖,以微波高段火力蒸6分钟即可。

特点: 皮白光滑晶莹,肉馅浓香味厚。

粽 子

原料: 糯米600克,熟咸蛋黄6个。A:猪肉300克,香菇5朵,白糖10克。熟花生仁1/2杯,水2杯,热水2杯。

调料: B:酱油2汤勺,五香粉1/4茶勺,白胡椒粉1/4茶勺。 C:五香粉、白胡椒粉各2茶勺,油、酱油各5汤勺。

做法: ①干粽叶、粽绳泡水3小时洗净。糯米洗净,猪肉切成3厘米见方的块,香菇泡软去蒂一切两半,咸蛋黄切对半。　②拌匀A料和B料,加盖,以微波高段火力蒸10分钟备用。　③另取一锅,放入糯米、花生和水拌匀,加盖,以微波高段火力煮15分钟,加入C料调匀。　④取2片粽叶,交错置于手中,折成漏斗状,放入糯米至半满后,放入肉馅和半个咸蛋黄,再填入糯米,将粽叶折叠包起,用粽绳扎紧,放入有隔板的蒸锅中,注入热水,加盖,以微波高段火力蒸18分钟即可。

特点: 取料丰盛,口味多样,软熟可口。

注: 每个粽子需蒸1分30秒,12个共需18分钟。用鲜粽叶、粽绳,则不需泡水使用。

猪 肉 包

原料: 蒜茸2汤勺,绞猪肉500克,洋葱丁1杯,豆腐干1杯,甜面酱3汤勺。A:酒1汤勺,酱油2汤勺,糖1.5汤勺,味精1茶勺。油8汤勺,面粉500克,猪油3茶勺,糖1汤勺,温水 2 杯,酵母 1.5 茶勺。

做法： ①绞肉、蒜茸加油 4 汤勺,以微波 90％火力爆炒 4 分钟。再将洋葱、豆腐干切小丁加甜面酱,与 A 料及 4 汤勺油拌匀,再以同上火力炒 5 分钟,与绞肉一起拌成肉馅。 ②先将 1 汤勺糖溶入温水中,再撒入酵母搁置 10 分钟。 ③将面粉与猪油及酵母糖液揉成面团,置于清洁盆里饧 4～5 小时。 ④将发酵面团揉至光滑,拧成长条状,切成 24 个小面团。 ⑤将小面团按扁成圆薄片,将馅放在面皮中心,以手指沿面皮周围捏成圆包子,放 15 钟后,将微波蒸锅底垫上纱布,放入 8 个肉包,以微波 90％火力蒸 8 分钟即可。

特点： 色泽洁白,皮质绵软,肉质鲜嫩,浓香味厚。

注： 每个肉包需蒸 1 分钟,8 个共蒸 8 分钟。

萝卜糕

原料： A:糯米粉 150 克,水 120 克。B:薯粉 240 克,温水 170 克。C:白萝卜 400 克,盐 1 茶勺,火腿 100 克,虾米 100 克,胡椒粉 1/2 茶勺,猪油 2 汤勺。 D:豆瓣酱 2 汤勺,酱油 2 汤勺,辣椒酱 1 茶勺,醋 1 茶勺。热水 1/2 杯。

做法： ①火腿切丝,虾米泡软剁碎,白萝卜去皮切丝,分别调匀 A 料、B 料备用。 ②放 C 料于锅中加盖,以微波高段火力蒸 5 分钟,再加入 A 料和 B 料,拌匀成糊。 ③取玻璃纸一大张铺平,放入面糊,卷成圆筒状,用棉丝扎紧两端。 ④取一有隔板的蒸锅,将扎好的面糊筒放入,沿锅边注入热水,加盖,以微波中高段火力蒸 40 分钟。 ⑤取出面糊筒,除去玻璃纸,切块装盘,调匀 D 料供蘸食即可。

特点： 色黄中泛红,酸辣味鲜,绵软。

红糖年糕

原料： A：糯米粉 450 克，米粉 150 克。B：砂糖 200 克，红糖 175 克，清水 3 杯。

做法： ①将蒸笼先泡水 4 小时备用。A 料充分拌匀过筛备用。 ②将 B 料调匀与 A 料再混匀备用。 ③依次将一块湿纱布、一张玻璃纸铺在蒸笼里，倒入面糊，加盖，以微波中高段火力蒸 30 分钟即可。

特点： 呈褐色，绵软甜蜜。

注： 蒸的过程中，可洒些水，以防年糕表层干裂。

福建炒面

原料： 新压的粗面条 300 克，蒜末 1 汤勺，包菜叶（切成合适长度）100 克。鸡肉（切片）100 克，墨鱼片（4 厘米见方的块）100 克，鱼饼（条状）80 克。

调料： 蚝油 1 汤勺，酱油 4 茶勺，糖少许。清水 1/2 杯，食油 60 克。

做法： ①取一大锅，放入油和蒜，以微波高段火力爆香 3 分钟，拌入鸡肉片、墨鱼片、鱼饼及全部调料，加盖继续以高段火力煮 3 分钟。 ②拌入面条和清水，再加盖以高段火力煮 6 分钟，其间偶尔搅拌；再加进包菜叶，加盖，以高段火力再煮约 2 分钟。 ③加盖放置片刻，晾凉再食。

特点： 鲜香滑爽。

烧 卖

原料： 高筋面粉 2 杯,蛋黄 4 个,热水 1 杯,绞猪肉 300克,香菇 5 朵,虾米 2 汤勺。

调料： 盐 1 茶勺,酱油 1 茶勺,胡椒粉少许,香油 1 汤勺。

做法： ①取一大碗,放入高筋面粉和 3/4 杯热水,拌匀揉成面团,等 30 分钟,再揉至表面光滑并成长条状,分成 24等份备用。 ②香菇用水泡软,去蒂切丁;虾米用水泡软切丁。③将猪肉末、香菇丁、虾米丁和全部调料放一大碗中,顺同一方向搅至富有粘性、上劲备用。 ④蛋黄置于碗中刺破,以微波高段火力煮 50 秒,取出剁碎备用。 ⑤将面团压成烧卖皮,放在手上,包上肉馅,成 24 个梅花形烧卖生坯。 ⑥在烧卖生坯上,放少许剁碎的蛋黄,再把烧卖一一排在已抹油的器皿中,罩上保鲜膜,以微波高段火力蒸 5 分钟即可。

特点： 形如待开花朵,味鲜绵软。

注： 蒸煮过程中可取出,喷点水,以防干瘪。

甜 八 宝

原料： 糯米 1 杯,豆沙 75 克,葡萄干 3 汤勺,罐头装凤梨片 3 片。

调料： A:猪油 1 汤勺,糖 1 汤勺。B:淀粉 1 汤勺,水 1汤勺。水 1 杯,凤梨汁液 1/2 杯,猪油少许。

做法： ①糯米淘净,加水 1 杯,加盖,以微波 90％火力煮 4 分钟,再以微波 50％火力焖 5 分钟成饭,取出置 3 分钟后,拌入 A 料备用。   ②取一碗,内部涂油,沿内壁排上葡萄干、凤梨片,中央填入糯米饭至半满,放入豆沙,再用糯米饭填满碗面,覆盖保鲜膜,以微波 90% 火力蒸 3 分钟,取出倒扣于盘中。   ③以微波 90% 火力熬煮凤梨汁液 2 分钟,加入 B 料调匀,以微波 90% 火力煮 1 分钟,淋在甜八宝上即可。

特点: 色泽金黄泛白,清凉甜蜜,沁人心脾。

三丝河粉卷

原料: 粉皮 3 张,猪肉丝 70 克,虾仁 70 克,香菇 3 朵,笋 1/2 根,豆芽 70 克,香菜少许。

调料: A:酱油 1/2 汤勺,干淀粉 1 茶勺。B:蛋白 1/2 个,酒 1 茶勺,胡椒粉少许。C:盐 1 茶勺,酱油 1/2 汤勺,胡椒粉 1/4 茶勺,香油 1/2 茶勺。D:干淀粉 1 汤勺,水 1 汤勺。高汤 3/4 杯,香油 1 茶勺。

做法: ①粉皮泡水,取出晾干,每张裁成 8 厘米宽的长条;香菇用水泡软,去蒂切丝;笋连皮洗净,用胶膜包起,置盘中(厚的一端朝外),以微波高段火力煮 7 分钟,取出晾凉,剥皮并切去粗硬部分后,切丝;豆芽、香菜洗净备用。   ②肉丝和 A 料拌匀;虾仁去泥肠洗净后,加入 B 料搅拌备用。   ③取一锅,将肉丝、虾仁、香菇、笋、豆芽、香菜及 C 料调匀,分成 24 等份,每 1 份馅料放入 1 条河粉皮中,逐一卷起,置盘中,覆胶膜,以微波高段火力蒸 5 分钟。   ④取一碗,放入高汤,以微波高段火力煮 3 分钟,拌入 D 料,再以微波高段火力煮 30 分钟,取出加上香油,淋在河粉卷上即可。

特点: 粉皮软爽,肉嫩鲜香。

白　粥

原料： 大米1杯,热水7杯。

做法： 淘净米后加入热水,以微波90％火力加热12分钟,再以微波40％火力焖半小时即可。

特点： 清淡爽口。

家常炒饭

原料： 里脊肉200克,青豆仁150克,洋葱1个,冬菇6朵,笋1根,胡萝卜1/2条,鸡蛋6个,热饭6碗。

调料： A:酱油1/2汤勺,酒1/2茶勺,热水1汤勺,淀粉1茶勺。B:热水3杯,糖1茶勺,盐1茶勺,胡椒粉少许,黑醋1汤勺,味精1茶勺。C:淀粉3汤勺,水3汤勺。油1/2碗。

做法： ①里脊肉切丝拌入A料;将洋葱、冬菇、笋、胡萝卜切丝,青豆仁洗 净,和肉丝放在一起,加入B料及油拌匀后,以微波高段火力加热8分钟至沸腾;再加入调匀的C料拌匀,以微波高段火力加热2分钟取出,成为饭的浇头。　②将一小盘抹油后打入1个鸡蛋,刺破蛋黄,以微波高段火力煎1分钟做成荷包蛋,并依次将6个鸡蛋做完。　③将浇头淋在6碗饭上拌好,再各放1个荷包蛋即成。

特点： 用料多样,酸甜可口,营养丰富。

西班牙炒饭

原料： 米3杯,里脊肉113克,红番茄2个,甜红辣椒1

个,洋葱 1 个,盐 1 茶勺,胡椒粉少许,水 3 杯半,油 3 汤勺。

做法: ①米淘净,置锅中,加水,加盖,以微波高段火力煮 18 分钟后,再以微波中段火力焖煮 3 分钟成饭。 ②将肉、番茄、甜红椒、洋葱分别切丁,置于另一锅中,放入油,并加盖,再以微波高段火力烹调 5 分钟。 ③饭煮熟后,加入炒熟的四丁、盐和胡椒粉拌匀加盖,再以微波高段火力煮 3 分钟即可。

特点: 滋味鲜香,麻辣甜口。

蛋包饭

原料: 糯米 3 杯,鸡蛋 6 个。

调料: A:火腿 70 克,香菇 2 朵,榨菜 50 克,葱 2 根,豌豆仁 70 克。B:淀粉 1 茶勺,水 1 茶勺。C:酱油 1 汤勺,盐、糖、白胡椒粉各 1 茶勺。水 2.5 杯,猪油 3 汤勺,油 6 茶勺。

做法: ①将蛋打散于碗中,加入 B 料拌匀备用。 ②香菇泡软,切小丁;榨菜、火腿切丁;葱切花;豌豆仁洗净备用。③糯米洗净,晾干后置于锅中,加水,加盖,以微波高段火力煮 18 分钟。 ④烤锅加油 1 茶勺,以微波高段火力预热 3 分钟,倒入 1/6 蛋液,摊成薄片以中高段火力煎 50 秒,取出备用,共煎 6 张蛋皮。第二张以后的蛋皮,分别另加油 1 茶勺,预热 1 分 30 秒,以中高段火力煎 50 秒即成。 ⑤放 A 料和猪油于锅中,以微波高段火力爆香 3 分钟,取出拌入糯米饭,并加入 C 料调匀,加盖,以微波高段火力烹调 3 分钟。 ⑥1 张蛋皮包入 1 杯炒饭,卷起即可。

特点: 色泽金黄,油润不腻,甜里带咸。

海鲜粥

原料： 白饭 2 杯,虾 10 只,蛤蜊 10 个,鱼肉 1 片。

调料： A:热水 5 杯,高汤。 B:盐 1 茶勺,酒少许,姜 4 片。C:香油少许,芹菜末 1 汤勺。蒜苗 1/2 根。

做法： ①洗净虾、蛤蜊;鱼肉横切成片;蒜苗斜切成小段。 ②将 A 料加入白饭中,加盖,以微波高段火力煮 10 分钟,加入虾、蛤蜊、鱼肉、蒜苗及 B 料,加盖,以微波高段火力煮 3 分钟,取出撒上 C 料即可。

特点： 味道鲜美可口。

鱼片粥

原料： 草鱼肉(中段)300 克,米饭 3 杯。

调料： A:酱油 3 汤勺,油 4 汤勺。 B:鸡晶 1/2 茶勺,盐 1 汤勺,姜末 1 茶勺。C:油条(切小块)1 根,香油 1 茶勺,米酒 1 汤勺,白胡椒粉少许,葱花 2 汤勺。热水 5 杯。

做法： ①草鱼洗净擦干水,切成片,拌入 A 料,腌 10 分钟。 ②米饭中加热水,以微波高段火力煮 10 分钟,放入鱼片及 B 料,加盖,以微波高段火力煮 3 分钟,取出加 C 料即可。

特点： 味香醇厚鲜嫩,无腥味。

广东粥

原料： A:白饭 3 杯,热水 6 杯。B:猪肝 150 克,瘦肉丝 100 克,虾仁 150 克。

调料： 葱花1汤勺,油条(切小块)1根,盐2茶勺,胡椒粉1/2茶勺。

做法： ①猪肝切片,用热水略烫去血水备用。 ②将A料放锅中,加盖,以微波高段火力煮10分钟,取出,再加入B料、盐、胡椒粉,加盖,以微波高段火力煮3分钟,撒上葱花及油条块即可。

特点： 味道清淡鲜嫩,营养丰富。

皮蛋瘦肉粥

原料： 里脊肉100克,皮蛋1个,白饭1碗,热水3碗。

调料： A:胡椒粉少许,酒1茶勺,盐2茶勺,香油1茶勺,油1茶勺。葱花1汤勺。

做法： ①肉切成薄片;皮蛋去壳切成碎块备用。 ②取一锅,放入白饭、热水、肉片、皮蛋及A料,加盖,以微波高段火力煮10分钟,撒上葱花即可。

特点： 鲜香滑爽,非常可口。

芋头咸粥

原料： 芋头1个。A:绞好的猪肉70克,虾米3汤勺,油3汤勺。B:白饭3碗,热水6碗,盐2茶勺,胡椒粉1/2茶勺。葱花2茶勺。

做法： ①芋头洗净去皮,切成块状;虾米用热水泡软备用。 ②以微波高段火力烹煮A料3分钟,再加入芋头,加盖,以微波高段火力烹调15分钟,又加入B料拌匀,加盖,以微波高段火力煮15分钟,撒上葱花即可。

特点： 鲜咸可口,浓而入味。

猪 肝 粥

原料： 白饭 3 碗,热水 6 碗,猪肝 300 克。

调料： 姜丝 3 汤勺,盐 1 茶勺,酒 2 茶勺。

做法： ①猪肝洗净切片,用热水略烫,去血水备用。 ②白饭放入热水中,加盖,以微波高段火力煮 10 分钟,再放入猪肝、调料,加盖,以微波高段火力煮 5 分钟即可。

特点： 猪肝鲜嫩可口。

紫菜饭卷

原料： 热白饭 3 杯,紫菜 3 张,鸡蛋 2 个,腌瓢瓜 1 大块,红甜菜丝 110 克,小黄瓜 1 根。

调料： A:白醋 3 汤勺,白糖 4 汤勺,酒 1 汤勺。盐 1 茶勺,油 1 汤勺。

做法： ①将热白饭趁热与 A 料混匀入味晾凉。 ②紫菜放盘中,以微波高段火力烤 1 分钟备用。 ③蛋打散,烤盘以微波高段火力预热 3 分钟,加油,倒入蛋液,以微波中高段火力烤 1 分 30 秒呈蛋皮状,即可取出,切成 1 厘米宽的长条;小黄瓜抹盐,腌 10 分钟,去水,直切成 6 份长条;瓢瓜切 1 厘米宽的长条。 ④白饭铺在紫菜上,将蛋条、黄瓜条、瓢瓜条和红甜菜丝直放中间,卷成圆筒,切成 1 厘米宽的厚片,装盘。

特点： 黑圈白肉、红心,色泽美观,甜酸适口,香味醇厚。

注： 切饭卷时,刀口可擦些清醋,这样比较好切。

六、点 心 类

用微波炉制作糕点比较省时,而且较用传统方法烘焙出来的糕点更加暄软、膨松多孔,有较大体积。微波炉因没有热干燥空气,糕点就难形成硬脆焦黄皮层,无外层硬皮的"阻力",糕点易发得更大,不用频繁搅动面糊,即可产生足够多的气孔。制作糕点的模具也方便易得,不必买专用模具,耐微波的杯、碟等可单独或组合作模具。烘烤前,要涂一层油于模具上。为达到焦黄诱人的效果,可涂些深色调料、麦粉或糖粉于糕点表面。

快熟面包,可用中高火力快速烹调,制作出来的面包质地均匀,有较大体积。烹调发酵面包,应选用较大容积的模具,或仅半装满模具。发酵过程中可用湿纱巾盖住生面团。刚出炉的面包,表面似乎有点湿,再放置片刻即不会湿了。对于松饼和小圆面包,应尽早从模具中脱出,以保持面包底部的干燥。若面包底部末熟透,翻转面包,再用满功率段微波加热几十秒钟就可。

用微波炉烘焙饼干,只要很短的时间就可以了。当然,饼干表面不会变棕黄,可涂些深色调料或糖粉,改变一下外观的色度。

乳蛋糕和布丁比较容易制作,可直接在耐微波的杯子里烹调,制作出的乳蛋糕滑腻爽口。但加热时间不要过度,以免产生凝乳和分层。

制作三明治时,可用纸巾或餐巾包裹三明治,以吸收面包蒸出的多余湿气,并可保持其底部干燥。烹调时间过长会使面包干硬。返热时间的掌握以能温热馅料为准。

用微波炉烤水果可保持原汁香味和使水果比较松软,烤后再焖热片刻会变得更加软滑。

糖类易吸收微波,制作起来也就比较快速。因此,用微波加热糖浆或糖果,时间要掌握好,小心别烧煳了。选用的容器也应足够大,以防加热时溢出。

用微波炉做熟的糕类食品,不会粘着插进去的牙签,也不会粘着盘边。

花生芝麻糊

原料: 花生仁3汤勺。

调料: 油2汤勺,黑芝麻(熟的)110克,热水6杯,糖7汤勺,牛奶3汤勺,湿淀粉5汤勺。

做法: ①盘中放油,以微波90%火力炸花生仁4分钟,呈金黄色时取出晾凉,去皮备用。 ②将黑芝麻置于搅碎机中,打碎,放入锅中,加热水、糖、牛奶,加盖,以微波90%火力煮8分钟,取出加入湿淀粉调匀,加盖,再以同样火力煮2分钟,撒上花生仁即可。

特点: 浓油赤酱,润滑如脂,鲜甜入味。

布　丁

原料: 鸡蛋6个。

调料: 砂糖120克,细砂糖1/2杯,热水4杯,油1汤勺,牛奶1/4杯,香草片1片。

做法: ①砂糖与1/4杯热水调匀,以微波高段火力煮

10 分钟成浓稠的糖液备用。 ②布丁模具或碗内部涂油,逐个加入 1/2 汤勺的糖液。 ③细砂糖溶于 2 杯热水中;香草片压碎溶于牛奶中。 ④蛋打入大碗中,加入细砂糖溶液和牛奶,调匀过滤后,分倒入已加糖液的 6 个布丁模具内至八分满。 ⑤大锅注入热水,放入布丁料(连模具),加盖,以微波高段火力蒸 18 分钟。 ⑥取出布丁(连模具),放入冷水中晾凉,倒扣于盘上即可。

特点: 色泽黄亮,香浓甘甜。

注: 一个布丁需时为 3 分钟。

汉堡夹心包

原料: 绞好的猪肉 375 克,胡萝卜 40 克,洋葱 75 克,汉堡包 6 个。A:面包 6 片,火腿 6 片,红番茄(切成片)6 片,生菜 6 片,洋葱(切片)6 片,小黄瓜 1 根(切 6 片)。

调料: B:酱油 2 汤勺,胡椒粉 1/2 茶勺,糖 1 茶勺,盐 1 茶勺。沙拉酱、番茄酱各适量,油 2 汤勺,奶油 3 汤勺。

做法: ①洋葱、胡萝卜去皮,洗净剁碎;小黄瓜抹盐,去水洗净,斜切 6 片备用。 ②取一大碗,放入绞肉、洋葱末、胡萝卜末、奶油和 B 料,和匀成肉馅,再分成 6 等份,压成圆饼状。 ③取一烤锅,以微波高段火力预热 5 分钟,加油 1 汤勺,再放入肉饼 3 个,以微波高段火力煎 1 分 30 秒,翻面再煎 1 分 30 秒。另 3 个第二次煎,不需预热。 ④取汉堡面包,分 6 份铺上 A 料及肉饼,加上番茄酱和沙拉酱即可。

特点: 取料丰盛,西式口味。

煎法式土司

原料： 土司(方形面包)、鸡蛋各2个,牛奶适量。

调料： 香精、糖、果酱、奶油、猪油各适量。

做法： ①将土司切成片,每两片中刮上果酱。 ②鸡蛋磕在碗内,加牛奶、糖、香精调匀,倒在土司上,使土司沾上一层蛋液。 ③取烤锅放猪油,以微波高段火力预热3分半钟,放入土司,以高段火力烤1分钟,翻面再烤1分钟,取出涂上奶油即可。每片土司需烤2分钟;第二次烤,只需预热1分30秒即可。

特点： 软酥香甜,西式口味。

紫菜沙拉卷

原料： 火腿1片,马铃薯1个,紫菜1包,四季豆12根,方面包12片。

调料： 沙拉酱1包。

做法： ①方面包片去周边硬皮,火腿切成与方面包同长的长条12条。 ②马铃薯洗净去皮,切成与方面包同长的1厘米宽粗条;四季豆洗净,与马铃薯条分别放入耐热袋中,松散结起袋口,以微波90%火力煮7分钟,取出晾凉备用。 ③紫菜放入盘中,以微波90%火力烤1分30秒,取出对切成比方面包略长3厘米的紫菜片备用。 ④取一紫菜片,放上方面包片,将火腿条、马铃薯条、四季豆并排放上,挤上沙拉酱后卷起,接口处以沙拉酱粘紧,卷成12个卷,食用时对角切半即可。

特点： 色泽美观,咸鲜甜嫩,西式早点。

三明治

原料： 方面包1条,蛋6个,番茄片、生菜叶、方形火腿各6片。

调料： 沙拉酱(或番茄酱)、胡椒粉、盐各适量。

做法： ①生菜叶用盐水洗净备用。 ②方面包切12片,取6片,每片用杯子压成中空,圆片留用。 ③取烤盘,以微波高段火力预热3分钟,放1片方面包,再放上1片中空方面包,打蛋于中空处,盖上1片火腿后,再以面包圆片覆盖,以高段火力烤40秒钟,翻面再烤40秒钟,取出,将面包片再翻面,掀开最上面的面包片,加入番茄片、生菜叶、胡椒粉和沙拉酱,对切装盘即可。 ④第二次以后烤时,预热只需1分钟。

特点： 层次分明,松软可口。

沙拉三明治

原料： 马铃薯2个,红萝卜1条,火腿200克,小黄瓜2根,方面包(去皮)1/2个。

调料： 盐1茶勺,沙拉酱适量。

做法： ①小黄瓜切丁,用盐腌片刻,除水;火腿切丁。 ②马铃薯、红萝卜洗净、去皮、切丁并罩保鲜膜,以微波高段火力加热6分钟,取出冷却拌入盐、沙拉酱及腌过的黄瓜丁。 ③方面包切片,每片斜切成三角形,每两片中间夹入三丁沙拉酱即可。

特点： 制作简便,味浓可口。

马 蹄 糕

原料： 马蹄(荸荠)80 克,马蹄粉 80 克。

调料： 糖 100 克,油 2 茶勺,水 330 克。

做法： ①马蹄洗净去皮,切成粗粒;糕盆擦油。 ②用150 克水将马蹄粉拌成糊。 ③煮沸其余水,加入糖、油,再倒入粉糊内拌匀。 ④将粉糊倒回锅内,加入马蹄,煮 2～3 分钟,不停搅动至浓糊状,然后倾入糕盆内。 ⑤用微波高段火力煮 5～7 分钟即可。

特点： 软嫩爽甜。

巧克力蛋糕

原料： 面粉 180 克,自发粉 2 茶勺,饴糖 180 克,鸡蛋 3 个,牛油 180 克,可可粉 2 茶勺,水 6 汤勺。巧克力 100 克,酸奶 1 汤勺。

做法： ①先把原料(不包括巧克力和酸奶)全部倒入一个容器内,用打蛋器或其他棒搅拌均匀,倒入耐热碗中,用保鲜膜盖在碗上,以微波高段火力烹调 10～12 分钟,取出放置备用。 ②将巧克力放进一玻璃容器内,用微波中高段火力溶化 1 分钟,取出加进酸奶备用。 ③将蛋糕从碗中取出,横刀切成几份,再抹上或蘸上巧克力酸奶食用。也可在蛋糕上撒巧克力粉一同进食。

特点： 松软香甜,美味可口。

花生太妃糖

原料： 生花生 300 克。A：麦芽糖 2 汤勺，砂糖 200 克，油 1 汤勺，热水 6 汤勺。

做法： ①花生洗净晾干，置于浅而宽的盘中，以微波高段火力炒 10 分钟（中途每隔 2 分钟翻动一次），取出，晾凉后去皮备用。 ②拌匀 A 料，以微波中高段火力煮 12 分钟成糖液，再拌入花生仁直至糖液成丝。 ③取一浅模具，内壁涂油，填入花生糖，压扁，晾凉后切块装盘即可。

特点： 色泽金黄泛白，花生酥香甜脆。

发 糕

原料： 粘米粉 600 克，快速发粉 25 克，砂糖 500 克，水 4 杯，热水 1.5 杯。

做法： ①将粘米粉和水拌匀后，再加入砂糖拌匀至溶解，放入快速发粉，用打蛋器打 10 分钟成面糊后，放置 10 分钟备用。 ②将 12 只纸杯模具分放于 12 只空碗中，注满面糊。 ③蒸锅中放入隔板，注入热水，将发糕放入，加盖，以微波高段火力蒸，每块发糕需时 2 分 30 秒。

特点： 色洁白，味甜绵软，软糯适中。

羊 羹

原料： 琼脂 20 克，热水 3 杯，麦芽糖 100 克，细砂糖 180 克，红豆沙（脱壳）380 克。

做法：　①琼脂和热水拌匀加盖,以微波高段火力煮 5 分钟,再拌入麦芽糖、细砂糖、红豆沙,加盖,以同样火力煮 5 分钟。　②将熟豆沙泥取出,用细纱网过滤,倒入模具,放入冰箱 1 小时,取出切块装盘即可。

特点：　形状各异,似褐色冻膏,清甜爽口。

炸马铃薯肉饼

原料：　马铃薯 500 克,绞好的牛肉 100 克,洋葱 150 克,面粉 1/2 杯,蛋 2 个,面包粉 1/2 杯。

调料：　A:白胡椒粉 1/4 茶勺,盐 2 茶勺。B:盐 1 茶勺,白胡椒粉 1/4 茶勺。油 7 汤勺。

做法：　①马铃薯洗净去皮,切成圆薄片,泡水 10 分钟,晾干后装入耐热袋中,松结起袋口,以微波高段火力煮 15 分钟,取出加 A 料,揉成泥,放入碗中备用。　②蛋打散于碗中,洋葱 切碎丁,与绞牛肉、油 3 汤勺拌匀后加盖,以微波高段火力爆香 3 分钟,再与 B 料和马铃薯泥拌匀,做成 6 个圆饼备用。　③肉饼依序沾上面粉、蛋液、面包粉后放在盘上,烤锅加油 4 汤勺,以微波高段火力预热 13 分钟,放入肉饼,以微波高段火力炸 2 分钟,翻面再炸 2 分钟即可。

特点：　色泽金黄,香脆可口。

龙凤卷心饼

原料：　面粉 200 克,白糖 3/4 杯,蛋 2 个,水 1/2 杯,花生粉 1/2 杯,葡萄干 1/2 杯。

做法：　①糖、蛋液、水混匀后,加入面粉,用打蛋器打匀成面糊状。　②以微波高段火力先预热烤锅 3 分钟,加入 1/2 杯面糊,略摇使之摊成一薄层,以微波中高段火力烤 1 分钟,取出撒上花生粉和葡萄干,卷起切斜刀,即可食用。

特点：　似龙鳞凤羽,香甜脆口。

雪花糕

原料：　A:糖 1 杯,鲜奶 1 杯,水 1 杯半,琼脂 10 克,香草片适量。B:玉米粉 6 汤勺,水 1/2 杯。鸡蛋 2 个,椰子粉 1/2 杯。

做法：　①将 A 料混匀,加盖,以微波高段火力煮 7 分钟,再加入调匀的 B 料,加盖,以同样火力继续煮 1 分 30 秒备用。　②另取一碗,打入鸡蛋,蛋白留用打匀,倒入做好的玉米粉稠糊,拌匀,再倒入模具中,抹平表面,撒上椰子粉,加盖,放入冰箱中,待冰凉即可食用。

特点：　奶黄白,似雪团,香甜可口。

煎薄饼

原料：　A:面粉 200 克,糖粉 3 汤勺,碱粉 1 茶勺。植物性奶油 2 汤勺,牛奶 1/2 杯,蛋 1 个,香草片 1 片。

做法：　①奶油置于碗中,以微波高段火力加热 30 秒,蛋打散于碗中;香草片压碎备用;A 料拌匀,过一遍筛备用。②将蛋液、牛奶、香草片混在一起,用打蛋器慢速打匀,加入热过的奶油,继续以打蛋器打匀,再加入 A 料,混合调匀成面糊。　③烤锅以微波高段火力预热 3 分钟,将面糊分压成大小合适的小圆饼 ,放入烤锅中,以微波高段火力煎 50 秒。第二

次煎薄饼 则无需预热。

特点： 奶黄白色,奶香甜脆。

菠菜酥饼

原料： 菠菜叶 50 克,面粉 330 克,蛋 2 个,玛琪琳 150 克,糖粉 80 克,盐 1 克,香草片 1 片,水 1 茶勺。

做法： ①菠菜叶洗净,放入耐热袋中,以微波高段火力煮 1 分钟,取出剁碎,挤去水分;香草片压成粉加水调匀;蛋打散备用。 ②用打蛋器慢速打散玛琪淋,并将糖粉分 3 次慢慢加入,打至溶解,加盐后,将蛋液分 3 次倒入,并以慢速打散成松软的绒状,再加入香草水略打。 ③面粉筛疏,加入玛琪琳和菠菜碎末拌匀成面糊。 ④取一模具,压入面糊成一花形,扣在铝箔纸上,每个花形间隔约 1 厘米。 ⑤烤锅以微波高段火力预热 3 分钟,连同铝箔纸将菠菜酥饼放入,以微波中段火力烤 7 分钟即可。

特点： 黄中泛绿,清香甜酥。

注： 玛琪琳,译名,一种人造奶油。

柠檬凉糕

原料： A:水 3 汤勺,白糖 4 汤勺。B:明胶粉 60 克,水 1 杯,香草片适量。蛋白 2 个,糖粉 3 汤勺,柠檬汁 1/2 杯。

做法： ①将 A 料与柠檬汁于一碗中拌匀,再加入 B 料调匀,覆盖胶膜,以微波高段火力煮 5 分钟后,过滤于锅中,冷却备用。 ②蛋白用打蛋器打至起泡沫,再边打边加入糖粉,直到蛋白挺硬成雪花状为止,再倒入已冷却的柠檬、香草、明胶粉液中搅拌均匀,随即倒入模具中,抹平表面,置于冰箱冷藏 1 小时后,取出切块装盘即可。

特点: 酸甜润口,疏松绵软。

草 莓 酱

原料: 草莓 300 克,白糖 3 杯,柠檬汁 2 汤勺,油 2 汤勺,玉米粉 3 汤勺,水 2 汤勺。

做法: ①草莓洗净去蒂,晾干水分,戴上薄膜手套,将草莓捏碎备用。 ②将草莓、糖、柠檬汁、油调匀,覆盖胶膜,以微波高段火力煮 7 分钟,再以微波中段火力煮 20 分钟,取出拌入玉米粉、水,覆盖胶膜,以微波高段火力煮 3 分钟即可。

特点: 酸甜味浓。

苹 果 酱

原料: 苹果 600 克。A:白糖 2 杯,柠檬汁 1 汤勺,明胶粉 30 克,水 1 杯。

做法: ①苹果洗净削皮,切成 4 等份后去籽核,磨成泥。②将苹果泥与 A 料于一大碗中搅拌均匀,覆盖胶膜,以微波高段火力煮 10 分钟即可。

特点: 苹果香味,酸甜稠浓。

焦糖烤苹果

原料: 青苹果 4 个。

调料: A:糖浆 2/3 杯,牛油 2 茶勺,酒 2 茶勺。

做法：　①取一浅盘,将苹果去皮放盘中;拌匀 A 料并均匀地淋于苹果上。　②浅盘加盖,以微波高段火力烤 4～6 分钟,将盘中 A 料再淋在苹果面上,加盖以同样火力再烤 40 秒后,让苹果在炉中放 5 分钟,即可热食。

特点：　香甜软爽。

烤菠萝多司

原料：　方面包 8 片,牛油适量,罐头菠萝(汁留用)1 听,黄梅果酱 1 瓶。

做法：　①取烤盘,以微波高段火力预热 3 分钟;牛油涂于 8 片方面包上,将有牛油的一面放在烤盘上,以高段火力烤 20 秒,即成牛油多司。　②菠萝及汁放一碗中,以高段火力煮 3 分钟后,将菠萝排放在多司面上。　③碗装黄梅果酱,以高段火力煮 1 分钟至溶解,将其淋于多司上即可。

特点：　色泽美观,甜酸可口。

注：　一片方面包烤 20 秒,不宜过长。

七、汤和饮料类

微波炉烹调汤十分简便,可以保持原味原色,并且没有油锅味;返热汤,更是方便省时。烹调时,加盖或罩保鲜膜,可偶尔搅拌,以使受热均匀。以水调制的汤可用高段火力烹调;含乳脂的汤应用中段或中高段火力加热。为避免牛奶类汤沸腾时溢出,盛装容器体积应两倍于汤的体积,并采用中段火力。煲猪肉汤或鸡肉汤时,应先以高段火力快速加热至沸腾,然后再用中高段火力熬煮入味。

用微波炉制作饮料比较理想。数分钟内,就可以享用到热饮料。制作饮料需要使用耐热的茶杯或茶缸。所有种类的饮料,无需加盖就可微波加热。从儿童饮料到烈性酒的制作,都可用微波炉。

煮沸 1 杯重为 250 克的水,用高段火力需 2～3 分钟;加热 1 杯牛奶到 80℃左右,用中段火力需 2～3 分钟。

五彩鱼丸汤

原料: A:鱼浆 300 克,肥猪肉 75 克,葱花 1 汤勺,盐 1 茶勺,蛋白 1 个。 B:胡萝卜丝 5 汤勺,香菇丝 5 汤勺,鱼翅丝 5 汤勺,蛋皮丝 5 汤勺。 C:芹菜末 2 汤勺,盐 1 茶勺,香油 1/4 茶勺,米酒 1 茶勺。高汤 5 杯,虾米适量。

做法: ①虾米用水泡软,切末备用;肥猪肉剁碎成泥。②将 A 料调匀,放入虾米搅拌,装入耐热袋中摔打,使之有弹性,取出用手挤丸子数个,放入盘中。 ③B 料拌匀后裹在鱼丸外层,置于抹油的盘中,覆胶膜,以微波高段火力煮3分钟,取出备用。 ④取一大锅,倒入高汤,以微波高段火力煮15分钟,放入鱼丸,加盖,以微波高段火力煮2分钟。 ⑤加入C料即可。

特点: 五彩缤纷,滋味鲜美。

排骨冬瓜汤

原料: 排骨250克,冬瓜250克,姜4片,盐2/3茶勺,味精1/2茶勺,热开水4碗。

做法: ①冬瓜、排骨切小块,姜切细丝。 ②取一只大汤碗,盛4碗热开水,将冬瓜块、排骨块及姜丝放入,以微波高段火力煮15～20分钟,取出加盐及味精调味即可。

特点: 汤清洁白,清鲜爽口。

凤爪笋菇汤

原料: A:凤爪5只,香菇6朵,芦笋150克,姜4片。

调料: 盐1茶勺,味精适量,高汤5杯,香油少许。

做法: ①凤爪洗净剁成3等份。 ②香菇用水泡软,去蒂切成对半备用。 ③取一锅,放入高汤、A料、盐、味精,加盖,以微波高段火力煮7分钟,取出淋上香油即可。

特点: 汤清味鲜。

苦瓜酿肉汤

原料: 苦瓜2个,鱼浆300克,绞好的猪肉300克。

调料： A:盐 1/2 茶勺,酒 1 汤勺,干淀粉 1 汤勺,姜末 1 茶勺,葱(切粒)2 根,红辣椒(切末)1 个。热水适量。

做法： ①绞肉以 A 料搅匀,加入鱼浆打匀。 ②选择较细长形的苦瓜,每个切 4 段,挖掉籽,加些热水,以微波高段火力烫煮 3 分钟后取出。 ③将搅拌好的肉馅填入已烫过的苦瓜中,塞满并沾辣椒末,放汤碗内,盛入热水(以盖过苦瓜为度),覆盖胶膜,以微波高段火力煮 12 分钟即可。

特点： 香鲜麻辣,肉味醇厚。

什 锦 汤

原料： 猪瘦肉 100 克,油条 2 根,香菜 50 克,鸡骨头 1 付,姜丝 1 汤勺,盐 1 茶勺,味精 1/2 茶勺,干淀粉 1 茶勺,温开水 4 碗。

做法： ①油条切成小块,放入瓷碗中备用。 ②瘦肉切成薄片,拌上干淀粉。 ③取一只大汤碗,盛 4 碗温开水,将鸡骨头及姜丝放入,以微波高段火力煮 8～10 分钟,将鸡汤倒入油条碗中,再加入瘦肉、盐、味精,以微波高段火力煮 2 分钟,食用前撒少许香菜即可。

特点： 浓香味鲜。

酸 辣 汤

原料： A:豆腐 1 块,猪肉 100 克,小黄瓜 1/2 根,胡萝卜 1/4 条,木耳 3 朵。鸡蛋 2 个,干淀粉 2 汤勺。

调料： B:盐 1/2 茶勺,味精 1/2 茶勺,胡椒粉 1/2 茶勺,酱油 2 汤勺,白醋 3 汤勺,油 1 汤勺。温开水 4 碗,温水 2 碗。

做法： ①将 A 料切丝,其中豆腐切细条。 ②取一只大汤碗,盛入 4 碗温开水,加入豆腐、猪肉等丝条及 B 料,以微波高段火力加热 5 分钟。 ③将淀粉汁(干淀粉加 2 汤勺水)倒入汤内搅匀,继续加热 2 分钟至沸腾,将蛋液淋入拌匀即可。

特点： 味道酸辣,清口。

鲜鱼汤

原料： 鱼 2 片,鸡蛋 1 个,香菇 3 朵,高汤 3 杯,豌豆仁少许。

调料： A:葱花、姜片、酒各少许。B:盐、醋各 1.5 茶勺,酒 1 汤勺。油、盐、胡椒、淀粉各适量。

做法： ①香菇泡软,切丝。 ②蛋打散,加少许盐,搅匀。平底锅抹油,预热,倒入蛋液做成蛋皮,切丝。 ③鱼与 A 料混匀,覆保鲜膜,以微波高段火力加热 2 分钟,再把鱼肉撕碎,其汤汁备用。 ④鱼汤、高汤与香菇放入深碗中,加入 B 料,用微波高段火力加热 6 分钟。放入鱼肉、豌豆仁,再加盐与胡椒调味,用微波高段火力加热 1 分钟。 ⑤趁热倒入淀粉芡汁,加入蛋丝即可。

特点： 味道鲜香。

番茄豆腐汤

原料： 番茄 1 个,豆腐 1 块,猪肉 100 克。

调料： A:干淀粉 1 茶勺,葱 1 根。B:盐 1 茶勺,味精 1/2 茶勺,油 1 汤勺。热开水 4 碗。

做法： ①番茄、豆腐切小块,肉切片拌 A 料。 ②取一只汤碗,盛 4 碗热开水,放入番茄、豆腐、肉片及 B 料,以微波高段火力加热 8 分钟即可。

特点： 清淡爽口。

玉米浓汤

原料： 玉米酱 1 听,鸡蛋 2 个,火腿(切末)4 片。

调料： A:热水 1/2 杯,盐 1 茶勺,味精 1 茶勺。B:淀粉 3 汤勺,水小半杯。C:葱花、香油各少许。

做法： ①取一锅,加入玉米酱和 A 料,拌匀,加盖,以微波 90％火力煮 7 分钟。 ②取出玉米酱,倒入调匀的 B 料、打散的蛋液及火腿末,加盖,以微波 90％火力煮 2 分钟,取出,加入 C 料即可。

特点： 浓而入味,鲜香可口。

热 咖 啡

原料： 热水 2/3 杯,速溶咖啡 1～2 茶勺。

做法： 用耐热杯或茶缸盛热水,加咖啡搅匀。无需加盖,以微波高段火力加热 1～2 分钟即成。亦可加糖和牛奶一起饮用。

特点： 快速便利,咖啡浓香。

注： 也可以用此法煮茶。

热 可 可

原料： 可可粉 2 茶勺,糖 1 茶勺,水 1 汤勺,牛奶大半杯。

做法： 将可可粉、糖和水放入耐热杯,和匀,用高段火力加热 10 秒后,再拌入牛奶,以中段火力加热 1～2 分钟即可。

特点： 香味农郁,甘甜可口。

橘 子 酒

原料： 橘子 200 克,冰糖 100 克,白兰地酒 450 毫升,柠檬片 2 片,热水适量。

做法： ①用热水洗净橘子,横剖成 1 厘米厚的片。 ②用耐高温玻璃容器,放入全部原料,加盖,以微波高段火力煮 4 分钟,取出搅拌,晾凉,将盖子套上橡皮垫圈盖紧。 ③3 天后取出果肉,再盖紧盖子,半个月后即可饮用。

特点： 特点： 酸甜香醇,色泽橘黄。

葡 萄 酒

原料： 葡萄 200 克,冰糖 100 克,白酒 450 毫升,柠檬片 2 片。

做法： ①葡萄洗净去蒂,擦干水分。 ②用耐高温玻璃容器,放入全部原料,加盖,以微波高段火力煮 4 分钟,取出搅拌,晾凉,套上橡皮垫圈盖紧。 ③3 天后取出果肉,再盖紧盖子,半个月后即可饮用。

特点： 葡萄酒味浓郁,色泽紫红。

草 莓 酒

原料： 草莓 200 克，冰糖 100 克，白酒 450 毫升，柠檬片 2 片。

做法： ①草莓去蒂洗净，擦干水分。 ②用耐高温玻璃容器，放入全部原料，加盖，以微波高段火力煮 4 分钟，取出搅拌，晾凉，将盖子套上橡皮垫圈盖紧。 ③3 天后取出果肉，再盖紧盖子，半个月后即可饮用。

特点： 甜酸酒香，色泽橙红。

凤 梨 酒

原料： 凤梨 200 克，冰糖 100 克，白酒 450 毫升，柠檬片 2 片。

做法： ①凤梨去皮洗净，横剖成 1 厘米厚的片。 ②用耐高温玻璃容器，放入全部原料，加盖，以微波高段火力煮 4 分钟，取出搅拌，晾凉，将盖子套上橡皮垫圈盖紧。 ③3 天后取出果肉，再盖上盖子，半个月后即可饮用。

特点： 果味浓郁，色泽浅黄。

附录一： 微波炉基本知识

（一）微波炉烹调原理和优点

微波炉烹调，主要是利用炉内的磁控管放射微波，使食物内外同时受热，在短时间内熟透。因为炉内没有火焰，炉体也不会变热，而且没有热量散失和污染。微波所以能加热食物，是食物中的水分、油脂、糖及蛋白质等这些带有极性的成分，吸收微波而使自身发生急速变化，每秒产生 24.5 亿次剧烈振动，使食物分子相互摩擦碰撞，而产生大量的热。由于此种热来自食物内部本身，不需传热媒体，不靠对流，食物温度便可很快上升，从而可以全面、快速、均匀地煮熟食物，并且可以对几种食物同时加热。烹调时，周围空气及盛装食物的器皿均不受微波影响，也不会变热，因而热能损失很小，热效率可高达80～90％。

微波加热的优点：一是省时。微波从四面八方穿透食物，加热速度很快，烹调时间短，较传统烹调法省时 2/3～3/5（见表1）。二是经济。微波加热食物，功率损失小，热效率高，烹调时间又短，比过去传统的加热方法可省电六成以上。三是污染小，无毒气油烟。微波烹调食物不产生油烟，无汁水溅出，可保持厨房的清洁，也没有煤气中毒、爆炸的危险。四是不影响厨房气温。传统的加热方法大都会使周围的气温升高，而微波炉烹调不会出现此弊病。五是便利。食物可直接盛放在耐高温碗碟、塑料袋里用微波加热，省去了一般加热方法转盛食物的麻烦。从冰箱取出食物,只需微波加热几分钟便可完全解冻,有的还可从解冻至煮熟一气呵成。尤其是返热剩余饭菜,可免除动锅铲的麻烦,且不用担心食物汁水蒸发损失、烹调过度,食物完全可保持原状及原汁原味,既卫生又可口,如同新烹调出的一般。六是加热过程兼有杀菌消毒功效。细菌本身含有蛋白质及水分而吸收微波,也产生高温而死亡。七是保持食物营养。微波烹调加热时间极短,能最大限度保留食物中的维生素,保持食物原有的鲜绿颜色和水分。八是不会焦黄。微波加热不会使食物产生焦黄的颜色,不必担心食物会烧焦煳或结硬。

表1   烹调时间对照表

食物种类	食物量(千克)	普通烹调(分钟)	微波烹调600W(分钟)
猪　肉	1	15	9
牛　肉	1	18	11
家　禽	1	20	12
鲜　鱼	1	15	10
马铃薯	1	21	13

(二)微波炉的种类和结构

1. 微波炉的种类

目前国际上对微波炉未有统一的分类,但一般可从以下三方面加以区别:

(1)从微波输出功率的大小可分为商用大型和家用小型两种。商用微波炉容量较大,使用915兆赫微波,输出功率1000瓦以上;家用微波炉多为轻便式,容量较小(14～40升),使用2450兆赫微波,输出功率1000瓦以下,国产的有500

瓦、650瓦、750瓦等几种。

（2）从内部构造、功能上可分为单一微波加热普及型和多功能组合型（微波热加工和普通热加工组合）两种。有的是微波炉与其他烹调器具的组合。

（3）从控制功能上可分为普及式（机械式）和电脑触控式两种。前者配备计时装置，或同时配备功率调节旋钮；后者装有微电脑记忆装置，可令微波炉按输入程序即时解冻、烹调或定时解冻、烹调等。

2.微波炉的基本结构

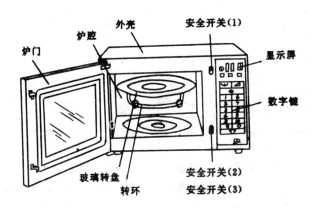

图1 微波炉基本结构

图1为常见的微波炉构造图。目前，国内生产的家用微波炉，大致都由以下几个部分组成：

（1）波导部分

它的作用是把磁控管产生的微波，传输入炉腔。主要元件是磁控管和波导。磁控管是微波炉的核心，是一种产生和发射微波的电子管（图2）。磁控管附近，设有作冷却散热用的风扇马达装置。波导是用来传输微波的元件。家用微波炉中使用的波导多为矩形截面的金属导管(图3)。在波导的一端(一般在炉腔顶上),装有搅波扇,用以均匀地把微波传输至炉内每一角落。有的则装有玻璃转盘代替搅波扇,以使食物均匀受到微波。

(2)电控部分

它的作用是调节次级高压绕组,便可得到强、中、弱、解冻等功率段,以满足不同的使用要求。

烹调继电器主要控制电源变压器、搅波扇或玻璃转盘的

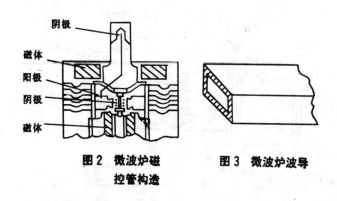

阴极
磁体
阳极
阴极
磁体

**图2 微波炉磁
控管构造**

图3 微波炉波导

电机,以及炉腔照明灯的电流通路。

(3)时控部分

微波的定时器有机械数字和电子显示两种形式,用以控制加热时间。

(4)炉体部分

包括炉腔、炉门、外壳。炉腔是盛放食物进行烹调的地方。由涂覆着非磁性材料的金属板制成,侧面或顶部开有排湿孔。

炉门既是放取食物和观察的开口,也是构成炉腔的一个前壁,主要由金属框架和玻璃观察窗组成。观察窗的玻璃夹层中有一层金属丝编网(每平方厘米网孔数约数百个)或带冲孔网眼钢板,具有防微波泄漏和透明供观察的功能。炉门的门闩还控制着一个电源通断的联锁开关,炉门开启前断开电源,微波炉即停止动作。外壳多用镀锌薄钢板或不锈钢板制成,外面还覆有特殊涂料,起屏蔽保护和装饰作用。

(三)微波炉的使用方法

如何正确使用微波炉,是发挥微波炉众多优点和延长其使用寿命的重要保证。因此,使用前,须详细阅读说明书。掌握以下方法和知识:

1. 一般操作顺序

(1)把食物用微波炉专用烹调器皿盛放,置于炉腔内,或直接将食物放到炉腔的盛放架上。也可用耐高温的塑料、玻璃和陶瓷制品的容器盛放食物,但决不能用金属或镀有金属膜的容器盛放食物。微波炉内的附件烧烤盘(一种有特殊涂层的盘子),可在需制作焦皮食物时使用。

(2)关闭炉门,使炉门联锁开关可靠地闭合。

(3)冷冻食物,需先解冻,再烹调。可按解冻按钮。

(4)按食物种类、数量、烹调要求,调节时间、功率控制旋钮或输入烹调程序,再按下烹调开关,烹调即开始。

(5)达到预定烹调时间,微波炉自行停止烹调,同时发出信号。此时可打开炉门取出食物或按下保温按钮。

2. 影响烹调的因素

在微波炉的实际使用中,烹调效果决定于时间与功率的配合设定。加热时间的设定,就是俗话所说的"火候",是使用微波炉的最大学问,一般可借鉴微波食谱,加上经验累积而得。初次使用微波炉烹调,最好先选定一种功率进行烹调,再参考表2调整。如果时间的掌握不是十分有把握,可先用较短的时间试一下,如不熟,再继续加热;如一开始就加热过度,食物成脱水状态就无法补救了。

影响烹调效果的因素很多,主要有以下几方面:

(1)食物本身因素

①食物初温。食物本身的温度越低,烹调时间就越长;冬天比夏天加热时间长。

②食物量。量少时间短,反之则加长。通常食物的量加倍时,烹调时间约增加原来时间的一半,可参考表3。应掌握家用微波炉的最佳加工量。

③食物大小、形状。小块食物加热较快。几何形状不规则的食物,薄的部分比厚的部分加热要快。食物厚度在4厘米以下,加热就更快。

④食物密度。一般来说,食物密度与时间成正比,浓密的食物较多孔疏松的食物加热时间长。如用同量的肉与面包、牛排与牛肉饼来比较,均是前者加热时间长。

表2　　　输出功率与火力强度对照表

烹调名称	功率	火力	效　　果
HIGH 煮	700W	100%	烹调湿度较大、较鲜嫩食物。煮沸开水。加热不含牛奶的饮料。
SAUTE 煎	630W	90%	与上者功能相似，可互用。可烹调鱼类。
REHEAT 再热	560W	80%	返热食物（包括罐头食品）；奶油类和蛋类用较低火力。
MED. HIGH 烤	490W	70%	用途多，可烹煮各种食物。烹煮鱼、贝壳类、糕饼、肉类、蛋及干酪。
BAKE 焙	420W	60%	制作面包类食品。
BRAISE 焖	280W	40%	与炖相近，火力较小。
DEFROST 解冻	210W	30%	快速将冰冻食物解冻。
LOW 温热	140W	20%	保温软化奶油，使面团发酵膨胀。
WARM 保温	70W	10%	食物保温，软化冰淇淋，发酵。

注：机械式微波炉旋钮上，直接标着"功率"档次100瓦、200瓦、300瓦、400瓦、500瓦；有的写着："强"或"高"（火力80～100%），"中"（40～70%），"弱"（10～30%）。

表3　　　微波炉烹调时间表（参考）

食物种类	食物量（千克）	预加工	烹调时间（分钟）	效　果
猪　肉	1	切块	9	熟
猪排骨	1	切块	10.5	熟
猪肘子	1	切块	16	肉脱骨
牛　肉	1	切块	11	熟
牛　肉	1	切块	6.5	刚熟
家　禽	1.2	整只	17	肉脱骨
家　禽	1.2	切块	12	熟
鲜　鱼	1	整条	10	熟
马铃薯	1	开半	13	熟
菜　花	1	切块	11.5	熟
萝　卜	1	切块	9	熟
黄　豆	1	水浸	8	熟
米面制品	1	和水	6	熟

⑤食物的比热。不同的食物温升一定时,吸收的热量不同。肥肉比热较瘦肉低,因而肥肉易吸热,因此,烹调时会出现瘦肉未熟而肥肉部分已炸出了很多油的情形。

　⑥食物的湿度。一般来说,含水分较多的食物,介电性好,吸收的微波也就较多。新鲜的食物较不新鲜的食物水分多,烹调时间就较短。

　(2)其他方面因素

　除了食物本身的因素外,仍有下列因素影响加热时间:

　①容器的材料、大小、形状。一般而言,浅而圆的容器,加热较快。

　②食物的排列方式与搅拌。由于微波对外围的食物加热较快,所以要把薄的部分排在容器中间,厚的部分排在外围,加热过程中需不时搅拌或翻动,以缩短加热时间,且使加热较均匀。

3. 微波炉烹调要领

　综上所述,可归纳出使用微波炉烹调的要领如下:

　(1)食物种类不同、数量不等,烹调时间各异。只要参考本书所列有关数据,并运用已有的烹调经验,即可操作自如。

　(2)食物应平均排列,勿堆成一堆,以便使食物能均匀生热。

　(3)食物若有坚硬的表皮,须剥去后才能烹调。

　(4)微波炉不易使食物表面着色,可在烹调前涂以调味料于食物表面,使其呈深褐色。

　(5)微波炉加热的食物温度极高,易蒸发水分,故烹调时宜覆盖耐热保鲜膜或耐温玻璃盖,可使水分不易散失。

　(6)烹调含有不同原料的食物不可混淆,先加热组织细密难熟的,然后再将其与组织疏松、易熟的一起烹调。

(7)烹调时可随时打开炉门检查或搅拌,微波会自动切断。待关上炉门,再按烹调键继续加热。

4.特殊的烹调、加工方法

(1)如何使用烤盘煎、炒、炸食物?

若要食物焦香可口,产生焦黄色泽,可采用烤盘。此种烤盘的外部及底部涂有一种可以吸收微波的特殊物质。

使用要点:先把烤盘放入微波炉里,以微波高段火力预热2分钟,然后加油3～4汤勺,再用微波高段火力预热2分钟,煮滚生油后即可煎、炒及炸食物。应该注意:烤盘第一次预热时间为第二次以后的2倍;烤盘第一次预热时间不得超过8分钟。另外,烤盘用完后,可用洗洁精或肥皂水清洗,切不可刮伤烤盘底部。

(2)怎样解冻冷藏食物?

所有型号微波炉一般均有独立解冻按钮,只需选定解冻按钮及时间,即可在室温下解冻食物。使用要点如下:

①在解冻整只光鸡时,可将鸡放置在一个微波炉架上,以免被加热后的水分煮熟。

②由于食物本身形状、脂肪等分布情况不均,可用铝箔盖住或包裹那些可能被煮熟的较窄、较薄及脂肪较多部位。

③解冻时间宜短,免得时间过久煮熟食物。可参考表4。

④解冻后的食物最内部仍有部分冻结,应将此食物静置5～10分钟,让外部热传入内部,便可继续解冻。所以一般不要马上动手加工制做。

(3)如何返热剩余食物?

利用微波炉返热食物的优越性,前面已经讲过.返热食物方法的要点:

①返热食物可用中高段火力或中段火力,以免高温抽干

食物中的水分。

②返热烤过的食物,如汉堡包、香肠、三明治等,应适当控制时间,以秒计时,否则因加热时间过长而变味和变硬。可参考表5。

③隔夜或冷藏食物过于干燥,可加少量水分再加盖或包上玻璃纸返热。但返热当天煮好的食物,只要盖上膜保持原状即可。

表4　各种原料解冻时间表

原　料	份量(克)	解冻时间
绞　肉	200	约5分钟
薄猪肉片	200	约4分钟
猪里脊肉	150	约3分钟
牛肉块	200	约4分30秒
鸡腿肉	200	约4分30秒
带骨的鸡腿肉	150	约5分30秒
鸡胸肉	100	约2分钟
火腿(切片)	100	约2分30秒
生鱼片	200	约4分～4分30秒
大　虾	100	约2分钟
鲤　鱼	300	约6分钟
菠　菜	200	约2分30秒
花椰菜	200	约1分40秒

表 5　　　各种食物温热时间表

食物名称	份量(克)	温热时间
冷　饭	130	约 50 秒钟
炒　饭	250	约 2 分钟
酒(连瓶)	180 毫升	约 1 分钟
牛　奶	200 毫升	约 1 分 30 秒
烤鱼(煎鱼)	80(1 片)	约 1 分钟
汉堡包	80(1 个)	约 1 分钟
炒蔬菜	200(1 人份)	约 2 分钟
炒　面	250	约 2 分钟
炸肉类	150	约 1 分钟
炸　鸡	150(1 人份)	约 1 分 20 秒

5. 各种辅助材料的应用

微波烹调时,耐热保鲜膜、玻璃纸与铝箔的使用对烹调效果有很大的影响。若无这些材料,亦可使用瓷盖、瓷碟或玻璃盖。在上面的食谱内容中,经常用到此类材料。

(1)耐热保鲜膜、玻璃纸的使用

在炒蔬菜和蒸、煮、炖食物时,为保持食物原味,防止水分过多蒸发,且使容器内温度较为均匀,应使用薄的耐热膜及玻璃纸将食物密封。这比加瓷盖更方便,效果也好些。煎、炸食物时,为保持其酥脆,则不必密封。

(2)铝箔的使用

铝箔是一种金属,虽然不能作烹调器皿,但仍可利用其反射微波的特性来调节食物受微波的影响程度。当烹调食物的密度、形状不均匀时,如鱼的中段较粗,头尾较细,烤鱼时应将鱼头及鱼尾较细部分包上铝箔,这样可防止微波被过分吸收,达到烹调均匀、形色美观的目的。另外蒸煮蛋时,应以铝箔纸包好,浸在水内煮,以免爆裂。

(3)布巾、干净纸的使用

做馒头、糕饼时,可用湿纱布或纸覆盖或包卷,以防水分蒸发和粘模。

6. 微波烹调中的注意事项

使用微波炉前,须详阅其说明书。

(1)不宜由儿童单独操作微波炉。

(2)为避免炉内起火:

①不可过度烹煮食物,否则会烧焦起火;

②如有纸类、塑胶类和其他易燃物在炉内烘烤,应密切注意,避免引起火花或点燃纸品;

③纸袋或塑胶袋放入炉内前,应将绳索解开;

④若炉内食品着火,切勿开门,应将开关关掉,再将电源插头拔掉或断开电源总开关。

(3)整只生蛋以及密封盒、瓶之类的东西,不能直接放入微波炉内加热,以免引起膨胀甚至爆炸。应将蛋没入水中煮,但过度烹煮,也会爆裂。

(4)带皮无孔的食物(如马铃薯、红肠等),不能直接入炉加热,烹煮前须将食物切开或穿孔,防止烘焦;不要在炉内爆玉米花。

(5)避免用瓶口小的容器盛装食物烹煮,这样不仅会溢出,且不易煮熟。

(6)铝箔包装的食物,切勿将食物整个封住,否则微波无法穿透。

(7)不能用微波炉来烘干花、水果、药草或衣服等,即不能用微波炉作脱水用。

(8)含有气体的饮料加热时,要搅动一下,以免饮料喷出容器。

(9)食物取出后,应将时间取消倒转归零。

(10)炉内未放置食品,不可起动微波炉,以免缩短炉具使用寿命。

(四)微波炉烹调器皿的选择

1.微波的三大特性

先了解微波的三大特性,有助于我们正确选择和使用微波炉烹调器皿。

(1)微波碰到金属会被反射

同光波一样,微波具有直线前进的性质,当遇到金属时,有如光束投向镜子,被反射到另一方向去。既然金属会反射微波,微波就无法穿透金属,进入食物中,食物也就无法做熟。因此,不能使用金属容器或含有金属成分的容器盛装食物,放入微波炉中烹调。

正是利用金属的这一特性,微波炉用经特殊处理过的金属制成炉内壁,借微波撞击金属炉内壁引起的反射作用,来回穿透食物,增强烹调效果,使食物快速熟透。另外,金属内壁的阻挡,保证微波不会外泄,也起到了安全使用的作用。

(2)微波的穿透性

微波遇到没有极性的物质,如空气、玻璃、陶瓷、塑胶及纸质器皿等,便可如同光束透过玻璃一样,穿透这些物质,而不被吸收。所以,用这类物质制成的器皿来盛装食物烹调加热,微波就可直接穿透容器进入食物中。通常食物熟热了,容器也不感觉热。不过,如果加热时间长久,食物的热也会经由传导而使容器变热,但这并不是微波对容器的作用。所以在选择这些物质的容器时,须选用耐热性能好的,如应选用耐热玻璃容器。

(3)食物的极性分子可吸收微波

如前所述,微波穿透容器作用于食物中带有极性的水、油脂、糖及蛋白质等分子,这些分子吸收微波后,随着微波电场的变化频率而剧烈振动,相互碰撞摩擦而产生大量的热,食物也就能在短时间内利用本身的内部热变熟。

2.微波烹调器皿的选择

由上可知,日常生活中用到的一些器皿,并不完全都能适用于微波炉烹调。现将其选择的方法归类叙述如下:

(1)玻璃器皿

耐热玻璃器皿可适合长时间的加热,若急速加热、冷却也会破裂。通常将玻璃品迎向光看,不含气泡者即为耐热玻璃制品。另外,有凹凸花纹者,因厚度不均,耐热性较差,不宜使用。一般玻璃器皿只能用于短时间的加热,不能用于盛装油分高的食物加热,否则会破裂。至于耐热性差的玻璃器皿,如雕花玻璃、强化玻璃、水晶玻璃,加热后会破裂或爆炸,不可使用。

(2)陶瓷器皿

各类陶瓷器皿均可使用,但一般陶瓷品只适合短时间的加热。表面涂有金线、银线、釉彩等器皿,会产生火花,不能使用。

(3)塑料制品

耐温性达120℃以上的可以使用。非工程塑料所制器皿,油分多的食物不可使用。一般市售的塑料袋,要慎重入炉。

(4)木、竹制品

由于含水分,可短时间加热使用。加热时间过长,水分蒸发,会因高温变形而烧焦。使用前,须先行泡水1小时以上,且入炉时间不可过久。

(5)纸杯、纸碟类制品

只适用于短时间加热。另外,要注意涂有颜色及防水蜡的纸制品的卫生。

(6)金属器皿

微波无法穿透,不能使用。

(五)微波炉的安全性和使用注意事项

1. 微波炉的安全性

人们惧怕微波外泄会危害人体,因此对使用微波炉有一种不安全感。甚至有人担心,吃了微波煮的食物会影响人体健康。微波为"非离子辐射",不会解离食物分子,更不会留存食物中。此外,由于使用的微波能量较低,没有理由担心这类能量微波会引起食品产生有毒成分和危及人们安全的化学反应,所以尽可放心食用。下面,着重对微波炉泄漏的安全性加以说明。

微波只有在足够量的情况下,才会对人体组织造成伤害。因此,微波炉的设计和制造,都把安全问题放在首位来考虑。为防止微波外泄,一般都设有多重安全装置和措施:

(1)炉壳使用不锈钢等金属制成,可以防止微波外泄。

(2)炉门的四周有用吸收微波材料制成的密封装置,同时在双层透明玻璃门中间夹入金属丝网,可防微波外泄。

(3)炉门的开启寿命在 25 万次以上,每次开启和关闭都能自动切断和接通电源。

(4)炉门的任何一处均可经受 0.5 千克钢锤反复敲打,而不致变形和碎裂。

（5）炉门装有两种以上的联锁开关装置,只要门一开,微波炉就即刻停止运作,从而消除了开门瞬间的微波泄漏。

（6）出厂前在距炉门5厘米处测得的微波泄漏在1毫瓦/平方厘米以下,才为合格。

有了以上多重措施,只要使用者正确使用和保养,及时消除造成微波外泄的因素,并注意上述使用说明及下述安全事项,就一定可以长期满意地使用微波炉。

2.微波炉使用注意事项

微波炉在安装、放置、保管以及操作使用时,应注意以下安全事项:

（1）使用电容器10安培(A)以上的专用电源插座和专用的电源系统。

（2）放在平稳的地方,否则会振动或发生噪音。

（3）放置不可紧靠墙壁,须保持通风良好,炉顶及左右壁须留有5厘米,后壁须留有10厘米的空隙。

（4）不要太靠近电视机或收音机放置,也不要靠近磁性材料,以免产生微波或磁性干扰。

（5）不可放置于高温、潮湿的地方,以免漏电及影响功能。

（6）机身上面勿放置任何物品,不要让小孩玩弄炉门,以免发生意外。

（7）门未关好时不可操作,以免造成微波外泄。特别要注意检查。

（8）不可作烹调以外的使用(如烘干手/帕、毛巾等),否则因加热极快会冒烟或燃烧。

（9）塑料网架不耐高温,只能用于解冻。

（10）金属制品不可碰触炉内壁。铝箔或金属网架一碰到炉内壁,接触部会进出火花,使用时要放在微波器皿上。

(11)不可粘着食物屑使用。金属网架与微波器皿的接触部分粘着食物屑时,会迸出火花,易造成微波磁石转盘破裂;另外,咸鱼干等脱水食物放在金属网架上烹调也易迸火花,时间过长会烧焦。

(六)微波炉的维护和常见故障的排除

1. 微波炉的维护

微波炉的日常维护,主要是保持炉内外的清洁。维护前,一定要先切断电源,以防触电。

炉内壁的油污,应用洁净的半干抹布轻轻擦去,如太脏可用中性洗涤剂清洗,再用半干布抹净。内部须常保持干净,才有利于防止故障。

炉门和控制板被弄脏、模糊不清时,可用湿布轻轻反复抹擦,决不能使用腐蚀性溶剂。

每次使用后,务必彻底清洁玻璃转盘,否则在第二次使用时,可能产生异常声音。方法是:将转盘拆卸下,先用热肥皂水刷洗,再用干布擦干。不可把热转盘直接放入冷水中清洗。

如果炉内有异味,可放入一杯水,内加一汤勺柠檬汁,加热一会儿,即可除掉异味。

2. 微波炉常见故障的排除

维修前,应检查炉门间隙是否低于 1.5 毫米,门架、炉门封条、外壳等有否断裂变形、损坏、缺损等。如发现上述现象,应先更换和修复缺损部件,才可接通电源检查。一般家用微波炉电路常见故障及排除方法如下:

(1)炉腔照明灯不亮,但可加热食物

可能是灯泡损坏或灯线路断路。应更换灯泡或修复断路。

(2)照明灯不亮,也不能加热食物

可能是炉门未闭合好或热断路器、烹调继电器绕组及其他线路有断路。应关好炉门,逐段检查,找出并修理断路。同时检查风道是否堵塞或鼓风机是否损坏。

(3)可加热食物,但定时器不能回复零位

可能是定时器损坏或连接定时器的导线断路。应修复、更换或接通。

(4)照明灯亮,但不能加热

可能是倍压整流与磁控管之间的高压线路短路,或电源变压器高压绕组、磁控管、炉门安全开关损坏,或整流二极管、高压电容器被击穿。应检查线路,加以更换、修复。

(5)在烹调期间照明灯突然熄灭,烹调停止

可能是定时器失灵,或炉门被打开,或热断路器断开电路。应更换定时器,或关好炉门,或清除冷却风道上的障碍物。

(6)保险丝断路

可能是电源变压器初级绕组短路。

以上是微波炉常见故障。使用者应能准确表述所发生故障的状况及种类性质,并及时送到家电修理部,由专业维修人员修理。

附录二:有关应用食谱的说明

(一)各菜分量有四人份、六人份不等。读者若自己选择食物分量,食谱操作程序可不变,但需适当调节烹调时间。

(二)分量标准:杯约 240 毫升,汤勺约 15 毫升,茶勺约 5 毫升。

（三）调味料的种类及分量，可根据备料的条件及各人口味酌情增减。

（四）高汤（白汤、上汤）做法：用猪肉、排骨、火腿、姜、八角、陈皮、水等熬煮成汤汁。各地做法不一。

（五）食谱中的"90％火力"，"高段火力"或"微波烹调"等均以 650 瓦为满功率来计算、划定的。

（六）输出功率与火力强度对照可参考表 2。

（七）部分食物烹调时间、解冻时间及温热时间，可分别参考表 3、表 4 及表 5。

（八）部分食谱彩图，有些碗碟是重新装盘用的，不能放入微波炉中烹调用。

本书彩照由作者提供，彩照上的食品由百灵餐厅协助制做

金盾版图书内容充实，
通俗易懂，实用性强，欢迎选购

厨师培训教材	18.00 元	宝宝营养食谱	5.70 元
餐厅服务规范	8.60 元	婴幼儿食谱	5.60 元
客房服务与管理	6.00 元	孕产妇食谱	5.00 元
中国南北名菜谱（精装）	20.00 元	四川火锅	5.50 元
中国南北名菜谱（平装）	15.50 元	主食花样 360 种	8.50 元
中国名菜精华	30.00 元	北京风味小吃	5.60 元
中国素斋集萃	20.00 元	成都风味小吃	3.30 元
正宗川菜 160 种	11.60 元	广东点心	7.20 元
正宗苏菜 160 种	11.60 元	上海小吃	8.80 元
粤菜烹调 160 种	9.00 元	美味面点 400 种（第二版）	9.00 元
鲁菜烹调 350 种	6.50 元	家常面点制作 60 种	7.50 元
京菜烹调 280 例	6.90 元	家常美味汤谱	5.00 元
上海名店名菜谱	12.00 元	消暑解热汤谱	3.10 元
上海素食	6.80 元	鸡尾酒调制技法	5.00 元
名菜精华	11.00 元	名优酱菜腌菜家庭制法	
海鲜菜谱	4.80 元	300 种	3.80 元
清真菜谱	6.60 元	家庭泡菜 100 例	3.20 元
新编大众菜谱	4.80 元	朝鲜风味小菜	3.50 元
5 分钟学烹饪	8.50 元	豆制品加工技艺	5.90 元
家庭蔬菜烹调 350 种	7.00 元	口布折花 120 款	6.00 元
家庭四季美味快餐	4.80 元	女性美容指南	6.00 元
菜蔬美味 30 种	8.00 元	现代美容技巧	18.00 元
水产美味 30 种	8.00 元	上海流行发型	24.00 元
禽蛋美味 30 种	8.00 元	流行发辫梳理	9.80 元
粤菜美味 30 种	8.00 元	现代盘发技巧	10.60 元
冷盘集锦	11.00 元	住房室内装修	9.90 元
菜肴围边技巧	9.70 元	家庭居室装饰	12.50 元
水果拼盘	12.00 元	家庭养花 300 问	7.90 元
食品雕刻精选	20.00 元	90 年代流行交谊舞	8.00 元
家庭凉拌菜	5.90 元	中老年迪斯科	9.90 元
喜庆家宴食谱	5.80 元	民族大秧歌	8.00 元
家宴冷餐谱	6.50 元	电子琴弹奏入门	6.00 元
双休日家庭食谱	5.00 元	五线谱入门	9.50 元

以上图书由全国各地新华书店经销。凡向本社邮购图书者，另加 15％ 的邮挂费。书价如有变动，多退少补。邮购地址：北京太平路 5 号金盾出版社发行部，联系人陈锦予，邮政编码 100036，电话 66888789。